# jeunes **pousses**

Cultiver, récolter, consommer ces superaliments

FIONNA HILL

# jeunes **pousses**

Cultiver, récolter, consommer ces superaliments

éditions La plage

*À mon amie Dorothy*

Pour être tenu au courant de nos publications, envoyez vos coordonnées à :
**La Plage** – 8, rue du Parc – 34 200 Sète
edition@laplage.fr
**www.laplage.fr**

Ce livre a été publié en 2009 sous le titre « Microgreens », par David Bateman Ltd,
30 Tarndale Grove - Albany, Auckland 1330, Nouvelle-Zélande.
© Fionna Hill et David Bateman Ltd
© 2011, éditions La Plage, Sète, France
ISBN : 978-2-84221-238-4

Photographies de Fionna Hill sauf : Francine Cameron, pages 23, 71 ; Mike O'Donnell,
pages 7, 20 (à droite), 22 (à gauche), 80, 83 ; Sally Tagg, pages 6, 14, 53 (à droite), 86, 89,
91, 92, 96, 98, 99 ; Garance Leureux, pages 100, 102, 103, 104 ; Philippe Baret, page 93 ;
Éric Fénot, page 105

Correction : Clémentine Bougrat
Mise en pages : Valérie Ferrer
Traduit de l'anglais par Florence Paban-Lebret

Imprimé sur du papier issu de forêts gérées durablement, à Barcelone,
sur les presses de Beta (ES), imprimeur labellisé pour ses pratiques
respectueuses de l'environnement.

# Sommaire

« Les jeunes pousses sont probablement les plus vieux aliments du monde. Nos lointains ancêtres savaient pourquoi ils les mangeaient. Nous ne faisons que redécouvrir ce qu'ils savaient déjà. »
*Rob Baan, Koppert Cress*

# 1

# Introduction : les plantes d'intérieur comestibles

« Ce n'est pas parce que vous ne faites pousser que des plantes d'intérieur que vous n'avez pas la main verte. Je me considère d'ailleurs moi-même comme une véritable jardinière d'intérieur. »
*Sara Moss-Wolfe*

- Qu'est-ce que les jeunes pousses ?
- Pourquoi les cultiver soi-même ?
- Comment les utiliser ?

Vous vous souvenez certainement avoir fait pousser du cresson dans une soucoupe sur le rebord d'une fenêtre quand vous étiez enfant ? Et bien, les jeunes pousses ne sont rien d'autre que la version revisitée de ces minivégétaux maison. L'idée est née aux États-Unis, et aujourd'hui, quelques-uns des plus grands cuisiniers du monde les mettent à l'honneur dans leur restaurant. Ces jeunes pousses sont naturellement vendues dans le commerce, mais on les trouve aussi de plus en plus dans la cuisine de particuliers bien décidés à faire leurs propres plantations.

## Qu'est-ce que les jeunes pousses ?

Elles se situent entre les graines germées et les jeunes feuilles et fleurs comestibles que l'on trouve par exemple dans la salade comme le mesclun.
On parle de jeunes pousses lorsque la graine germée a produit au moins deux « vraies » feuilles après l'apparition des cotylédons, ces derniers étant les feuilles embryonnaires d'une graine végétale. Les plantes dicotylédones produisent des graines comportant deux cotylédons. Les vraies feuilles, quant à elles, poussent à partir de la tige de la plante.

## JEUNES POUSSES CONTRE GRAINES GERMÉES

Il faut faire la distinction entre les jeunes pousses et les graines germées.
Voici quelques-unes de leurs grandes différences.

Comme leur nom l'indique, les graines germées sont des graines qui ont
germé, le plus souvent dans l'obscurité et dans une atmosphère humide.
Quand on mange des graines germées, on mange aussi bien la graine
que la racine, la tige et les feuilles naissantes.

Il en va autrement des jeunes pousses : les graines sont plantées dans
la terre ou un substitut. Puis, au terme de la phase de germination – qui
dure généralement un jour ou deux –, les jeunes plants sont exposés à
la lumière dans des conditions d'humidité normale et une atmosphère
bien aérée.

Ce qui différencie aussi les jeunes pousses des graines germées est que
les premières ne poussent pas dans l'eau et que leurs tiges sont coupées
en préservant la racine. Et pour finir, les jeunes pousses ont une saveur
beaucoup plus prononcée que les graines germées, et la forme, la texture
et la couleur des feuilles sont très variées.

*Ci-dessus à gauche : graines germées de pois et de blé
prêtes à planter.
Ci-dessus à droite : jeunes pousses de chou frisé
Ci-contre : jeunes pousses de daikon.*

*Ci-dessus à gauche : plantation de fenugrec dans une boîte de conserve peinte dont le fond a été percé pour le drainage.*
*Ci-dessus à droite : jeunes pousses de moutarde plantées dans une coquille d'œuf vide.*

## Pourquoi les cultiver soi-même ?

Aujourd'hui, les jeunes pousses ont le vent en poupe tant cet aliment nutritif séduit par son choix de couleurs, de textures et de saveurs très particulières. Les consommateurs les trouvent depuis quelques années dans le commerce. Les variétés diffèrent d'un pays à l'autre, mais les plus courantes sont les pousses de moutarde, de cresson, de tournesol, de sarrasin ainsi que les pousses de blé ou d'orge avec lesquelles on fabrique le jus d'herbe. On en trouve de plus en plus sur les marchés et dans les magasins de produits biologiques.

Les jeunes pousses vendues dans le commerce posent toutefois un inconvénient : avant d'arriver chez le commerçant, elles ont été conditionnées et emballées sous film plastique, mises en chambre froide ou confiées à un transporteur. Rien à voir avec celles que l'on récolte soi-même et que l'on passe à l'eau claire avant de les ajouter directement dans la salade.

### La fraîcheur avant tout

Les jeunes pousses sont des aliments de qualité et de grande valeur nutritionnelle et biologique. Les cultiver à la maison présente l'avantage de les récolter juste avant de les consommer, et de garantir ainsi leur fraîcheur comme leurs vertus nutritives.

Elles se conservent bien au réfrigérateur, mais elles sont encore meilleures fraîchement cueillies. En les cultivant vous-même, vous êtes sûr de ne prélever à chaque fois que la quantité strictement nécessaire.

## Une grande diversité de couleurs, textures et saveurs

Les jeunes pousses réveillent vos plats en leur apportant des couleurs, des textures et des saveurs nouvelles, aussi bien épicées que délicates. Les pousses de petit pois ont le goût des petits pois du jardin fraîchement cueillis. Celles de radis ont la saveur du radis. Certaines pousses sont cultivées pour leur aspect, leur texture ou leur couleur. D'autres sont recherchées pour leur saveur et leur arôme. D'autres encore offrent les deux. Toutes sont très pratiques, puisque la plupart poussent en une semaine et se cultivent été comme hiver.

Les jeunes pousses se prêtent à une cuisine aussi originale que bénéfique pour la santé. En salades, elles sont mélangées avec des légumes ou se suffisent à elles-mêmes. Mais elles peuvent aussi apporter saveur, couleur et texture aux sandwichs, garnitures de légumes, soupes, viandes, tartes, fritures, pizzas ou pains, ou encore décorer les canapés servis à l'apéritif.

## Le plein de bonnes choses

Les jeunes pousses sont riches en vitamines, en minéraux et en enzymes. Elles sont un puissant concentré de vertus nutritionnelles et gustatives, dont elles font le plein au moment où les jeunes pousses commencent à se transformer en feuilles adultes. Il s'avère même que les jeunes pousses sont plus riches en composés actifs que les plantes ou les graines arrivées à maturité (voir le chapitre sur la nutrition, page 41).

Ces jeunes pousses sont donc un moyen pratique de consommer des composés actifs, notamment sous forme de boisson santé comme le jus d'herbe.

## Un plaisir économique

Je me suis lancée dans le jardinage il y a quelques années, après avoir découvert les jeunes pousses, et aujourd'hui, je concocte de bons petits plats avec des ingrédients qui poussaient encore quelques heures voire quelques minutes avant que je ne les cuisine. Les jeunes pousses se cultivent à l'intérieur comme à l'extérieur. L'investissement est faible en comparaison avec leur coût dans le commerce, et les connaissances requises sont minimes. Les cultiver soi-même est donc la solution la plus économique, sans parler du plaisir que cela procure.

Lors de ma première tentative, emportée par mon enthousiasme, j'en ai planté trop et je me suis retrouvée avec assez de pousses pour nourrir tout mon immeuble ! Depuis, j'ai appris à doser mes plantations.

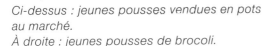

*Ci-dessus : jeunes pousses vendues en pots
au marché.
À droite : jeunes pousses de brocoli.*

### Une microculture naturelle

La culture des jeunes pousses ne demande pas beaucoup de place ; elle
s'adapte au plus petit des appartements et aux villes les plus peuplées. Les
pousses se cultivent à petite échelle pour une ou deux personnes, à plus grande
échelle suivant le nombre de bouches à nourrir. Gagner de la place et avoir un
aliment frais – qui plus est, agréable à regarder – à portée de main est idéal en
milieu urbain.

Pour ceux qui ont un petit jardin ou qui, comme moi, vivent en appartement
avec balcon, le mieux est de cultiver les jeunes pousses dans des jardinières
à l'extérieur.

Le petit balcon de ma cuisine est mon jardin, et les jardinières me permettent
de garder le contact avec la nature tout en vivant au cœur d'une métropole stérile.
Plonger les mains dans la terre, planter des graines et surveiller leur croissance
me relie à la Terre et à mon alimentation. Ces gestes nourrissent mon esprit autant
que mon corps.

## Comment les utiliser ?

### Des saveurs particulières

Les jeunes pousses ont toutes un goût intense et spécifique, qui est fonction du
légume ou de l'herbe aromatique, comme c'est le cas avec les graines germées
et les salades.

*Ci-dessus : salade toute rouge de jeunes pousses rouges (chou rouge, basilic violet et radis). Voir recette page 90. À gauche : radis « Sango ».*

Une plante n'a toutefois pas toujours le même goût. Sa saveur évolue au fil de sa croissance. Quand les feuilles éclosent, elles commencent à puiser leur énergie dans la lumière et développent de nouvelles saveurs. C'est au moment de l'apparition de la première feuille que le goût est le plus intense.

Certaines jeunes pousses ont une saveur particulière, à la fois plus subtile et plus délicate que la plante adulte, et sont cultivées spécialement pour cela. D'autres, épicées et fortes, se marient avec des salades moins riches en goût ou sont utilisées comme ingrédient à part entière dans un plat.

À vous de savoir si vous aimez les saveurs relevées ou douces. Mes préférences vont vers le radis, la roquette et la moutarde, mais je ne connais pas encore toutes les jeunes pousses. Côté jardinage, je n'ai jamais de chance avec les plants de roquette et de basilic adultes. En revanche, j'obtiens toujours d'excellents résultats avec leurs jeunes pousses et il m'arrive même parfois d'en être envahie. Il faut dire que j'ai souvent du mal à semer avec modération. Le basilic pousse lentement, mais donne de superbes résultats et se marie très bien avec les fraises (voir recette page 98).

Les jeunes pousses donnent du goût à toutes sortes de plats, notamment aux quiches et aux sandwichs. J'agrémente entre autres les sandwichs œuf-oignon-mayonnaise de tonnes de pousses de cresson et de moutarde. Et je ne résiste pas à une belle pomme de terre au four servie avec une généreuse cuillerée de

*Ci-dessus : salade de pois chiches et de courgettes aux jeunes pousses de moutarde et de fenugrec. Les jeunes pousses épicées rehaussent la saveur douce des légumes.*

crème fraîche, du poivre du moulin et des câpres, copieusement garnie de jeunes pousses de brocoli et de ciboule de Chine.

## Jardiner et récolter

Les jeunes pousses sont cultivées dans la terre ou tout autre substrat ; elles ont besoin de soleil et d'air pour pousser. Elles sont coupées au ras du sol, au bout de sept à vingt et un jours selon la variété, une fois qu'elles atteignent 2 à 5 cm de hauteur et qu'apparaissent les toutes premières feuilles. Certaines jeunes pousses peuvent attendre d'avoir quatre vraies feuilles pour être récoltées. Mais pour qu'elles poussent bien droit, il faut planter les graines très serrées.

Sachez aussi qu'elles ne demandent pas autant d'investissement qu'un jardin. En été, si vous êtes absent, vous n'aurez pas à demander à un ami de venir arroser vos plantations car il suffit de les couvrir pour contrôler leur croissance.

Dans ce livre, vous découvrirez vingt-cinq variétés de jeunes pousses de textures, de saveurs, de formes et de tailles différentes. Ne cherchez pas à toutes les essayer. Faites plutôt comme moi : trouvez vos préférées.

# 2

# Cultiver des jeunes pousses pas à pas

« Les plantes nous oxygènent les poumons et l'esprit. »
*Linda Solegato*

- Les graines
- Les récipients
- Terre et autres substrats
- Semer
- Couvrir
- Arroser et nourrir
- Où les faire pousser ?
- Les soins des plantes
- Récolter, rincer et conserver

## Les graines

Ne choisissez jamais des graines ayant été traitées. Pour en être sûr, approvisionnez-vous auprès d'un fournisseur bio et utilisez si possible des graines produites et conditionnées spécialement pour la culture des jeunes pousses ou des graines germées. Vous devriez ainsi avoir la garantie qu'elles sont saines, de bonne qualité, qu'elles présentent un pourcentage minime d'éléments étrangers et un faible risque de contamination par d'autres espèces. Les graines traitées au fongicide sont à éviter car tous les produits chimiques peuvent se retrouver dans la partie comestible de la pousse. Sachez à ce sujet que les graines de pois et d'épinard destinées aux cultures potagères ont souvent subi un traitement au fongicide.

Les graines sont le plus souvent vendues au poids et doivent être conservées dans un récipient hermétique. Pour commencer, achetez des petites quantités pour pouvoir faire des essais et trouver vos variétés préférées.

*Rang du haut, de gauche à droite : chou frisé, lin, pois gourmand, betterave « Bull's Blood ». Au centre, de gauche à droite : haricots mungo, pois « Fiji Feathers », roquette, radis « Sango ». Rangée du bas, de gauche à droite : persil plat, ciboulette, blé tendre, cresson.*

Il est difficile d'évaluer le volume de pousses que peuvent produire des graines, mais une chose est sûre : il est plus économique de cultiver des jeunes pousses que de les acheter fraîches. Elles offrent généralement un bon rendement, même si le poids récolté varie considérablement d'une variété à l'autre, selon le moment de la récolte et la teneur en eau.

## Les récipients

Je choisis toujours de jolis pots car je les installe sur deux balcons que l'on voit de la cuisine et je tiens à allier plaisir esthétique et bienfaits nutritionnels. Mais je privilégie aussi les matériaux recyclés tels que le bois et les emballages jetables.

### Peu profonds, légers et transportables

L'idéal est d'avoir des récipients peu profonds, légers et transportables, que ce soient des barquettes en plastique, des boîtes de conserve recyclées ou des vieux moules à fond perforé. Une faible profondeur et un fond percé sont les secrets de la réussite.

Les jeunes pousses n'ont pas besoin de beaucoup de terre. Si vous souhaitez utiliser des gros pots que vous possédez déjà, rien ne s'y oppose, mais toute cette

*Ci-dessus : jeunes pousses de fenugrec dans un pot à bonsaï. Les jeunes pousses n'ont pas besoin de beaucoup de terre ou de pierre ponce. Rien ne vaut un grand plat peu profond.*

terre sera inutile. Mieux vaut des récipients larges et peu profonds que des modèles hauts. (Les pois développent de longues racines finissant par donner un substrat dense et enchevêtré qui ne sera pas réutilisable, mais ils n'exigent pas pour autant un pot profond.)

## Indispensable drainage

Souvenez-vous que tous les pots doivent être percés, car un drainage insuffisant peut entraîner des moisissures et freiner la croissance. C'est l'une des clés de la réussite. Les plantations ont également besoin d'hygiène. Le mieux est de nettoyer les bacs de germination au vinaigre d'alcool blanc entre deux cultures. Si vous placez les bacs dans des pots plus esthétiques (comme dans l'exemple de la page 72), l'avantage est que les plantes pourront boire à mesure de leurs besoins. Mais attention : ne les laissez pas trop longtemps les pieds dans l'eau.

## Quels récipients choisir ?

Rien ne vaut les vieilles barquettes de champignons, même si elles ne sont pas très esthétiques. Si vous avez des paniers peu profonds, vous pouvez les tapisser

*Ci-dessus : le blé tendre a été planté dans des pots de fleurs en plastique glissés dans des emballages en carton de pâtes à emporter. On obtient ainsi des portions individuelles.*
*Ci-contre : panier en bois rempli de terreau, dans lequel est planté du radis « Sango ».*

de polyéthylène (les jardineries vendent du film solide au mètre) ou y placer des barquettes en plastique peu profondes. Le petit panier en bois ci-dessus est un écrin de verdure idéal, mais s'il n'est pas protégé, il finira par pourrir.

Vous pouvez aussi peindre des grandes boîtes de conserve recyclées, même si elles contiendront plus de terre que nécessaire. Les petites boîtes de conserve sont idéales pour les enfants, en particulier les boîtes de sardines. Mais quelle qu'en soit la taille, il faut en percer le fond. Si vous souhaitez confectionner une miniserre et protéger les pousses des oiseaux chapardeurs, il suffit de glisser sur une petite boîte de conserve une grande bouteille en plastique dont vous aurez retiré le bouchon et découpé le fond, comme on le voit page 82.

Les jardineries vendent des bacs à semis en plastique, peu profonds et bon marché, qui conviennent parfaitement aux familles friandes de jeunes pousses. Les bacs recyclés des pépiniéristes sont généralement trop grands pour un usage familial. Mieux vaut utiliser plusieurs petits pots.

La terre cuite est très belle, mais elle a hélas tendance à sécher et absorber l'humidité de la terre, qui s'assèche donc plus vite, ce qui peut entraver la germination. La solution est de tapisser le pot de film plastique, en veillant comme toujours à percer un trou pour le drainage même si le plastique est résistant, mais ce n'est pas très écologique. Quand j'utilise des pots en terre cuite, je m'amuse à les peindre.

Mes préférés sont toutefois les petits pots à bonsaïs peu profonds en poterie que je trouve dans les supermarchés asiatiques, où je m'approvisionne également en paniers vapeur. Les paniers en bambou ont un fond qui laisse filtrer l'eau ; ils sont très jolis et sont prévus pour résister à l'humidité. Pour démarrer le processus de germination, j'utilise le couvercle posé sur un torchon humide.

Je vends au marché des jeunes pousses que je fais pousser dans des barquettes en plastique peu profondes dont je fends le fond pour le drainage, ou dans des pots rectangulaires et peu profonds en plastique recyclé vendus en jardineries. Ils sont petits, faciles à transporter, pratiques à utiliser pour les enfants, et ils représentent une portion individuelle.

## Une palette comme jardinière

Si vous avez de l'espace, voire une serre, prenez une palette en bois d'environ 1 m × 1 m, créez des bords surélevés en clouant ou en vissant des planches de 15 cm de large sur ses côtés et remplissez de compost universel. Pressez, puis mesurez des intervalles réguliers sur chaque côté et tracez à l'aide de baguettes de bambou un quadrillage à la surface du compost, pour créer une cinquantaine de carrés. Ce type de jardinières permet un arrosage facile et régulier.

Semez différentes graines dans chaque carré, à des intervalles de temps réguliers. Vous pouvez ensuite éclaircir vos plants et laisser certains donner des petites feuilles (chaque plant de salade aura besoin d'environ 2 cm²). Ou décider de récolter tout un carré de jeunes pousses. Une fois les tiges et les racines arrachées, vous pourrez planter de nouvelles graines. Semez peu et souvent – disons toutes les deux semaines – pour un approvisionnement en continu.

*Ci-contre : les jeunes pousses sont idéales à l'intérieur, mais elles peuvent aussi être directement plantées dans le jardin.*

*Ci-dessus : graines de trèfle violet tout juste semées dans du terreau et graines de fenouil semées dans de la pierre ponce.*
*À gauche : godets en plastique remplis de terreau et plantés de jeunes pousses, pour des portions individuelles.*

### Cultiver en pleine terre

Vous pouvez naturellement planter des jeunes pousses dans votre jardin, mais il faudra vous baisser au ras du sol pour les cueillir. Le mieux est d'utiliser des jardinières, que vous pourrez surélever sur un banc ou une table pour plus de confort.

## Terre et autres substrats

Les pousses comestibles sont de jeunes plants tendres qui exigent un substrat capable de stocker et apporter suffisamment d'humidité et d'oxygène à la graine, sans pour autant la détremper ni l'assécher. Les professionnels utilisent à cet effet des matériaux aussi divers que des serviettes en papier, de la toile de jute, de la perlite, de la vermiculite, de la laine de roche ou des tapis spécialement conçus pour les jeunes pousses, sachant toutefois qu'avec certains supports, ces dernières risquent d'être contaminées par des particules du matériau.

J'emploie pour ma part du terreau et de la pierre ponce ; je me contenterai donc de parler d'eux.

### Le terreau

Quand j'utilise du terreau, je coupe les tiges plutôt que de les arracher, car il est difficile d'ôter la terre des minuscules pousses déracinées. La qualité du terreau varie selon les mélanges. Choisissez-en un de qualité, que vous enrichirez par exemple de farine de varech et de carapaces de crustacés. Vous obtiendrez ainsi une croissance forte et régulière, ainsi qu'un meilleur rendement. Essayez plusieurs marques – vous risquez d'être surpris par les différences de résultat.

## Les billes de pierre ponce

La pierre ponce présente l'avantage d'être propre, ce qui me permet d'arracher les jeunes pousses plutôt que de les couper, et de manger toute la plante, racines comprises. Mais attention, celles-ci peuvent parfois soulever les très légères particules de pierre ponce ; il vous faudra alors les retirer. Certaines jardineries vendent de la pierre ponce stérilisée en poudre, spéciale pour les cultures en pleine terre ou hors-sol. Dans l'agriculture traditionnelle, la plante pousse dans la terre et se nourrit des composés chimiques que celle-ci renferme. Dans l'agriculture hors-sol ou hydroponique, le jardinier remplace la terre par une solution équilibrée riche en nutriments, que la plante absorbe sans difficulté.

*Ci-dessous : graines de fenugrec plantées dans de la pierre ponce, à l'intérieur d'un petit panier en bambou.*

Dans les cultures hors-sol, la pierre ponce joue le même rôle que d'autres matériaux comme le sable, le gravier ou le marbre : ce sont eux qui accueillent les racines de la plante. Il est important de noter que ces substrats, contrairement à la terre, n'absorbent pas les nutriments, mais se contentent de les emprisonner dans les espaces libres entre les granulats. Les racines de la plante peuvent ainsi les absorber facilement. La pierre ponce présente l'avantage d'être poreuse, donc de posséder une excellente capacité de rétention de l'air et de l'eau nécessaires à la bonne santé de la plante – les racines ont elles aussi besoin d'air pour respirer !

La pierre ponce se révèle un substrat très performant. Elle est plus propre que le terreau, surtout dans un petit appartement. Mais j'utilise toujours du terreau pour les graines minuscules comme celles de basilic, car elles ont tendance à tomber entre les particules de pierre ponce. Et comme toujours, je poursuis mes essais.

## LA CULTURE HYDROPONIQUE

Le mot « hydroponie » vient du latin « hydro » (eau) et « ponos » (travail). C'est une méthode de culture des plantes non pas dans la terre, mais dans une eau enrichie en nutriments, ce qui écarte tout risque lié aux impuretés de la terre et aux bactéries.

Dans la terre, les matières organiques se décomposent en sels minéraux, dont les plantes se nourrissent. L'eau vient dissoudre ces sels et permettre aux racines de les absorber. Pour qu'une plante reçoive des apports adéquats, la terre doit avoir une composition parfaitement équilibrée, ce qui est rarement le cas.

Dans la culture hydroponique, l'eau est enrichie en sels minéraux, de manière à créer une solution nutritive parfaitement équilibrée. Et comme cette solution se trouve en milieu fermé, elle ne nuit pas à l'environnement comme peuvent le faire les fertilisants qui s'infiltrent dans le sol ; le phénomène d'évaporation, quant à lui, est très limité.

Autre avantage : les plantes hydroponiques trouvent leurs nutriments et leur eau directement au niveau de leurs racines, ce qui leur permet de consacrer leur énergie à développer leur feuillage plutôt qu'à produire de longues racines.

La pierre ponce est souvent utilisée dans les plantations hors-sol, car elle est poreuse et affiche un excellent pouvoir de rétention de l'air et de l'eau nécessaires à la bonne santé des plantes.

C'est une méthode biologique, écologique (lorsque les engrais utilisés ne sont pas des engrais de synthèse !), durable et sûre. Elle est parfaitement adaptée à la culture des jeunes pousses.

*Ci-dessus, à gauche : graines de blé tendre et de pois mises à tremper une nuit
pour accélérer la germination.*
*Ci-dessus, à droite : graines de blé tendre et de pois au bout d'une journée
de germination.*

# Semer

### Les rythmes de croissance

Mieux vaut éviter de semer un mélange de graines dans un même pot, car toutes
ne poussent pas à la même vitesse. Les herbes aromatiques, par exemple,
poussent lentement, alors que les radis lèvent vite.

Il arrive que l'on obtienne des résultats inattendus sans en comprendre
les raisons. À vous de forger votre propre expérience, en observant le rythme de
croissance des graines et le délai entre la semence et la récolte. Certaines plantes
poussent en huit à dix jours. Pour d'autres, il faut compter pas moins de trois
semaines. Par exemple, si je veux composer un mélange de moutarde et de
cresson – un grand classique –, je plante d'abord le cresson car sa croissance est
plus lente. Mais je préfère planter chaque variété dans un pot différent et réaliser
mes mélanges après la cueillette.

Souvenez-vous également que les rythmes de croissance dépendent aussi
d'autres facteurs, comme la saison, l'emplacement (à l'intérieur ou à l'extérieur),
la température et la lumière.

### Le prétrempage

Les grosses graines comme celles de pois, de maïs et de blé tendre doivent
tremper dans de l'eau pendant vingt-quatre heures avant d'être semées. D'autres
n'en ont pas besoin, en particulier les graines mucilagineuses qui, une fois humides, forment une épaisse couche gélatineuse qui emprisonne l'humidité. Le
cresson en fait partie.

*Ci-dessus, à gauche : graines recouvertes de papier absorbant humide et d'une charlotte pour conserver l'humidité.*
*Ci-dessus, à droite : graines mises à germer dans des barquettes en plastique remplies de terreau et recouvertes de papier absorbant humide.*

## Le substrat

Remplissez le pot avec le substrat de votre choix : 4 cm d'épaisseur suffisent. Ne remplissez pas jusqu'en haut du pot, car les graines risqueraient de s'échapper quand vous arroserez. Nivelez la terre et aplatissez-la délicatement ; si elle est trop compactée, la croissance sera ralentie et vous serez déçu du résultat.

## Le semis

Pour semer, prenez une petite pincée de graines entre les doigts et saupoudrez-les uniformément sur toute la surface, comme vous le feriez avec du poivre sur un plat. Si vous en mettez trop à un endroit, dispersez-les. Une fois les graines semées, pressez légèrement la terre pour les y enfoncer et les aider à prendre racine. Mais n'appuyez pas trop fermement : la terre ne doit pas devenir compacte.

La densité du semis dépend de la taille et du type de graines que vous avez choisis. Pour une culture dense à cueillir au stade du cotylédon, plantez une épaisse couche de graines. Veillez toutefois à ne pas en semer trop, car elles pousseraient mal et pourriraient, ni trop peu car vous n'auriez pas une récolte suffisante. Si vous préférez cueillir les plantes au stade des vraies feuilles, faites un semis moins dense et laissez pousser plus longtemps. Il m'arrive de cueillir d'abord quelques pousses au stade du cotylédon, puis d'attendre que le reste développe de vraies feuilles.

J'essaie de toujours avoir de jeunes pousses prêtes à être cueillies, d'autres qui germent et un semis en cours. Ce n'est pas aussi simple qu'il y paraît, car de nombreux facteurs entrent en jeu.

## Couvrir

### Avec une couche de terre

Les graines doivent être couvertes pour rester au chaud et à l'humidité pendant qu'elles germent – d'autant qu'elles n'ont pas besoin de lumière pour cela. Les graines minuscules, comme celles de chou frisé, de moutarde ou de basilic, doivent être soigneusement recouvertes d'une fine couche de terre tamisée de la même épaisseur qu'elles (mais pas de pierre ponce, trop granuleuse). Pour tamiser la terre, vous pouvez utiliser une passoire. Les grosses graines comme celles de pois ou de betterave n'ont pas besoin d'un substrat tamisé. Une fois recouvertes, pressez délicatement les graines. Si à l'arrosage, elles ressortent, rajoutez un peu de terre dessus.

*Ci-dessus : un linge humide recouvre depuis le début ces graines tout juste germées. Il peut y rester un jour de plus, mais surveillez les graines de près, surtout si le milieu est chaud et humide, car elles peuvent très vite moisir. Évitez les tissus bouclés, dans lesquels les minuscules pousses peuvent se retrouver piégées.*

### Avec un torchon ou de l'essuie-tout

Au lieu de couvrir les graines de terre, je préfère utiliser un vieux torchon fin en lin ou en coton, ou de l'essuie-tout non blanchi. C'est une solution à la fois efficace et propre. Posez le tissu directement sur les graines, humectez-le et veillez à ce qu'il reste humide jusqu'à la germination. Cette méthode permet de soulever un coin du tissu pour surveiller l'évolution.

Lavez les torchons entre deux utilisations, pour éviter qu'ils n'accumulent des bactéries et de la moisissure. Évitez les tissus bouclés : j'ai testé le tissu éponge, mais les graines se glissent entre les mailles et sont arrachées quand on soulève le tissu pour les observer.

*Ci-dessus : ces graines germées n'ont plus besoin d'être couvertes. Comme elles poussent dans la pierre ponce, l'apport d'une formule nutritive est nécessaire. Elles pourraient certes se contenter d'eau : elles seraient à la fois belles et bonnes, mais elles n'auraient pas la richesse nutritionnelle que vous espérez.*

Arrosez généreusement les graines. Elles doivent toujours rester humides, car un manque d'eau empêche ou ralentit la germination. Si elles sèchent, elles ne germent pas.

**Le couvercle**

Il ne reste plus qu'à couvrir les pots pour accélérer la germination puis la croissance, en instaurant une atmosphère chaude et humide – en somme, en créant un mini effet de serre. Les graines ont besoin d'un environnement stable, surtout si elles sont placées à un endroit soumis aux courants d'air et aux variations de température entre le jour et la nuit.

Veillez à éviter l'excès d'humidité et les moisissures. Si le pot est directement exposé au soleil, vérifiez qu'il ne fait ni trop chaud ni trop humide – les graines n'ont pas besoin de sauna. L'idéal est le plastique transparent. Je recouvre les torchons et les pots avec des charlottes de douche. Elles sont parfaites pour les petits pots, tout comme les cloches alimentaires.

Un morceau de vitre convient aussi, sauf en cas d'exposition directe au soleil, car la chaleur devient alors excessive. Vous trouverez également des couvercles en plastique dans les jardineries ou sur Internet.

## Arroser et nourrir
### Les besoins en nutriments

Les jeunes pousses n'ont pas les mêmes besoins en nutriments que les graines germées. Il leur faut une solution nutritive pour assurer la qualité de leur feuillage et leur croissance. En général, les graines germées sont mises à tremper et vaporisées uniquement avec de l'eau, car leurs réserves suffisent pour leur courte période de

*Ci-dessus : plantation de radis daikon dans une barquette alimentaire en plastique peu profonde, percée de trous et glissée dans un saladier. Rendez-vous page 75 pour admirer comme les jeunes pousses sont belles.*

croissance. Les jeunes pousses, en revanche, ont besoin d'une solution nutritive pour pouvoir poursuivre ce processus jusqu'à la formation des premières véritables feuilles, voire plus tard.

Au départ, la graine est mise à germer uniquement dans de l'eau – ajouter des sels minéraux à ce stade peut d'ailleurs entraîner des problèmes de germination.

Mais quand les cotylédons apparaissent et commencent à produire la chlorophylle, la plante a épuisé les réserves contenues dans la graine. Au stade de la photosynthèse, les racines absorbent les ions minéraux dans le sol.

Un terreau très peu profond donne aux plantes de quoi se nourrir jusqu'à environ quatorze jours avant la récolte. Au-delà, ou si vous utilisez un substrat non terreux comme de la pierre ponce, vous devez ajouter une formule végétative ou nutritive, en respectant les doses prescrites.

*Ci-dessus : les jeunes pousses sont vraiment la solution idéale pour les petits espaces ; elles tirent le meilleur parti d'un balcon. Dans le pot en terre cuite de droite, un jeune plant d'oseille Blood Vein est entouré de jeunes pousses de basilic.*

## Qualité de l'eau

L'eau d'arrosage doit être de bonne qualité, faute de quoi elle peut être porteuse d'agents pathogènes d'origine humaine ou végétale susceptibles de contaminer la culture. Pour garantir la pureté des pousses, il est donc essentiel de n'utiliser que de l'eau potable ou de l'eau de pluie propre. Celle du robinet convient bien, car elle est traitée pour éviter tout risque de contamination.

## Maintenir une humidité constante

Vous devez maintenir une humidité constante pendant la phase de germination. Si vous couvrez les graines d'un linge humide, il leur transmettra son humidité. Ne les découvrez pas avant qu'elles aient germé. Elles commenceront alors à soulever le linge, voire la terre si elles ont été plantées très serrées. C'est normal. Attention : la terre séchant plus vite que les tissus, les graines recouvertes d'une fine couche de terre doivent parfois être arrosées deux fois par jour. Certaines graines,

*Ci-dessus : moutarde brune (au fond), radis « Sango » et daikon (devant à droite) poussent avec bonheur dans des pots sur un rebord de fenêtre.*

comme celles de radis, développent un duvet blanc sur la tige. N'ayez crainte, cela fait partie du processus naturel d'enracinement. Ce n'est pas de la moisissure.

## Où les faire pousser ?
### Un peu de lumière et de chaleur

Il est intéressant de noter que les jeunes pousses, qui grandissent à la lumière, affichent des concentrations de vitamine C et de substances végétales bénéfiques pour la santé beaucoup plus élevées que les graines germées qui, elles, se développent généralement dans l'obscurité.

Comme nous l'avons dit, le processus de germination des jeunes pousses ne nécessite pas de lumière, mais, une fois les graines germées, comme presque toute plante, elles en ont besoin. En appartement, vous mettrez à profit le moindre rebord de fenêtre ou balcon ensoleillé pour cultiver toute l'année de jeunes pousses fraîches et bonnes pour la santé.

*Ci-dessus : ces jeunes pousses de roquette plantées dans une jardinière en terre cuite sont prêtes à être cueillies.*

Les jeunes pousses n'ont pas besoin d'une lumière intense. Elles s'en contentent de beaucoup moins que les plantes adultes. De plus, vous n'attendez que l'apparition des premières feuilles, car ce sont elles qui possèdent le plus de propriétés nutritionnelles et gustatives. Et pour arriver jusque-là, le moindre rayon de soleil indirect suffit.

Un peu de chaleur est également nécessaire. Je vis sous un climat tempéré chaud. En journée, la température est en moyenne de 23 °C en été et 14 °C en hiver. Pour la germination, la température idéale est comprise entre 13 et 24 °C, mais chaque variété a ses propres exigences. Le mieux est de suivre les indications sur votre paquet de graines.

### Une formule idéale pour les petits espaces
Les jeunes pousses sont la formule idéale pour cultiver ses propres plantes en milieu urbain et suburbain, en valorisant des espaces jusque-là jugés inappropriés à la culture potagère – cours intérieures, jardinets, murs, balcons et toits.

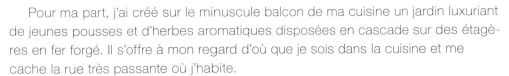

Pour ma part, j'ai créé sur le minuscule balcon de ma cuisine un jardin luxuriant de jeunes pousses et d'herbes aromatiques disposées en cascade sur des étagères en fer forgé. Il s'offre à mon regard d'où que je sois dans la cuisine et me cache la rue très passante où j'habite.

C'est mon « jardin potager ». Je n'ai que quelques pas à faire pour aller cueillir une poignée de légumes frais juste avant de les cuisiner. D'ailleurs, le ferais-je aussi facilement si je devais aller dans une serre ou un potager au fin fond du jardin ? Cela dit, il se trouve que je cultive aussi un jardin potager à proximité.

## Les soins des plantes

Une fois que les graines ont germé, la plante a besoin de lumière pour croître et se développer. Vous devez donc retirer le linge humide et la cloche en plastique qui la recouvrent. Il m'arrive parfois de laisser une charlotte pour dissuader les moineaux, mais je surveille de près pour ne pas avoir trop d'humidité sous le plastique.

Les jeunes plants poussent ensuite à la lumière, entre sept et quatorze jours selon la variété. La roquette, par exemple, pousse vite, et le basilic lentement. Ils doivent aussi rester humides. Pour en être sûr, passez le doigt sur le bord du pot. Mais n'arrosez pas trop, ne laissez pas les pots les pieds dans l'eau et n'arrosez pas non plus à midi, en pleine chaleur.

## Récolter, rincer et conserver

### La récolte

Essayez de cueillir les jeunes pousses juste avant de les consommer, si possible en dehors de la période la plus chaude de la journée. Le mieux est de les prélever le matin, quand les feuilles sont le plus fraîches, notamment pour prolonger leur durée de conservation. Par temps chaud, même à l'ombre, elles risquent de se faner et de finir en bouillie si vous les cueillez en milieu de journée. Si tel est le cas, passez-les sous l'eau froide, mais il sera probablement trop tard.

Les jeunes pousses sont riches en vitamines, notamment en vitamine C ou acide ascorbique. Mais leur taux, comme celui de tous les nutriments, commence à décliner à partir du moment où les pousses sont coupées. Cueillez ce qu'il vous faut et laissez le reste continuer de pousser.

Le mieux est d'utiliser de longs ciseaux bien aiguisés et de donner des petits coups de lame comme le font les coiffeurs, en tenant les tiges sans les serrer. Des lames bien aiguisées vous épargneront de meurtrir les tissus et écraser les tiges, ce qui prolongera la durée de conservation. À ce stade, les jeunes pousses sont si délicates qu'il faut faire particulièrement attention à ne pas écraser les tiges et les feuilles en les coupant.

Si vous taillez sous les cotylédons, la plante ne repoussera pas. Certaines variétés sont plus difficiles que d'autres à cueillir, à cause de leur feuillage fin, léger ou plumeux. L'aneth, le fenouil et le cresson sont parmi les plus délicates. Ils demandent beaucoup de précautions.

### Le rinçage

Parfois, un rinçage rapide avant de servir suffit, surtout si vous utilisez de la pierre ponce. Les pousses cultivées en terre ont souvent besoin d'un bon rinçage, sauf si vous avez employé la méthode du linge humide pour les couvrir. Plongez-les dans une bassine d'eau froide et retirez les feuilles abîmées, les coques de graines ainsi que la terre, qui coulent ou flottent à la surface. La tâche est un peu fastidieuse, mais indispensable. Puis déposez les pousses sur un linge sec et tapotez-les délicatement pour les essorer.

### La conservation

Les jeunes pousses tendres ont un taux de respiration élevé et une durée de conservation courte si elles ne sont pas manipulées avec précaution. Au réfrigérateur, elles se conservent trois à quatre jours, voire une semaine, dans des sachets en plastique zippés ou des boîtes hermétiques. Attention, les jeunes pousses de basilic craignent le froid et se conservent dans les mêmes conditions que le basilic adulte, à savoir à plus de 4 °C, sans quoi les feuilles se décolorent et noircissent.

*Ci-contre : pois gourmands partiellement cueillis.*
*Ils ont été coupés de manière à pouvoir repousser.*

3

# Quelques problèmes et leur solution

« Un jardin meurt si vous ne l'arrosez pas et pourrit si vous l'arrosez. »
*Newark Evening News*

- Les graines ne germent pas
- Les graines s'accrochent au torchon
- Duvet blanc et moisissure
- La germination est irrégulière
- Les plantes pourrissent
- Les tiges sont hautes et frêles
- Les feuilles sont jaunes et anémiques
- Les pousses sont brûlées

## Les graines ne germent pas

Avez vous respecté la date limite d'utilisation des graines recommandée ?
Les graines ont-elles été conservées dans un lieu trop chaud et trop humide ?
Si c'est le cas, la germination peut s'en trouver affectée.

La température est-elle correcte ? L'amarante et le basilic, par exemple, ont besoin d'une chaleur constante.

Si le taux de réussite est faible, votre semis était-il assez dense ?

Avez-vous laissé assez de temps aux graines pour germer ?

Avez-vous suffisamment arrosé ? Le linge doit rester humide pour que les graines le soient aussi. Mais il ne faut pas non plus trop arroser. Avant que la graine ait fait ses racines, il n'est pas indispensable que tout le pot soit trempé. À ce stade, seule la couche supérieure compte.

Des températures extrêmes peuvent également influer sur la germination. Comme nous l'avons dit, la température idéale est comprise entre 13 et 24 °C, mais elle varie bien sûr selon les variétés. Lisez les instructions sur le sachet de graines ou renseignez-vous auprès de votre fournisseur.

Comme moi, vous connaîtrez peut-être des échecs dont vous ne comprendrez pas les raisons. Mais l'avantage des microcultures est que l'investissement en argent, en temps, en espace et en énergie est limité. Quand ça ne marche pas, je refais une tentative, en modifiant les paramètres que je soupçonne d'être responsables de l'échec, et je procède ainsi par tâtonnements.

## Les graines s'accrochent au torchon

Pour vérifier l'avancée du processus de germination, soulevez juste un petit coin du linge. Si les graines et leurs racines restent accrochées au torchon, il est trop tôt pour le retirer.

En revanche, si ce dernier se lève tout seul, c'est que les graines soulèvent la terre. Dans ce cas, elles sont prêtes à voir la lumière et à montrer leurs premières feuilles. À partir de là, laisser le torchon sur les plants ne pourrait que leur nuire car en poussant, ces derniers risqueraient de pourrir et de s'emmêler. Après quelques tentatives, vous apprendrez très vite les bons gestes.

## Duvet blanc et moisissure

Vous remarquerez peut-être du duvet blanc autour des racines. Les radis en ont fréquemment et on le prend souvent à tort pour de la moisissure. Ce n'en est pas. Ce duvet fait partie du processus de germination et il disparaîtra au moment de l'arrosage.

En revanche, il peut se former de la moisissure si le temps est froid ou humide pendant une longue période. Pour faire la différence, sachez que le duvet est léger, piquant et qu'il entoure les racines, tandis que la moisissure se concentre sur le sol nu ou autour des graines et qu'elle a l'air pelucheuse. J'ai remarqué que le basilic est sujet à la moisissure.

Il n'est pas toujours facile de choisir le bon emplacement, mais essayez de placer les jeunes pousses dans un endroit chaud ; si vous repérez de la moisissure, découvrez les graines, arrosez légèrement et déplacez les pots dans un lieu plus éclairé et mieux aéré.

## La germination est irrégulière

Une germination irrégulière peut avoir plusieurs explications. Votre semis était-il régulier ? Il est important de semer lentement et de se concentrer sur l'homogénéité du saupoudrage.

L'emplacement du pot au moment de la germination compte lui aussi. Est-ce qu'une partie est au soleil et une autre à l'ombre ? Pour la germination, rien ne vaut un coin ombragé.

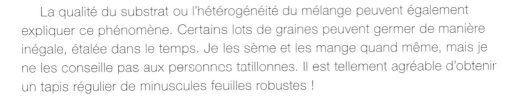

La qualité du substrat ou l'hétérogénéité du mélange peuvent également expliquer ce phénomène. Certains lots de graines peuvent germer de manière inégale, étalée dans le temps. Je les sème et les mange quand même, mais je ne les conseille pas aux personnes tatillonnes. Il est tellement agréable d'obtenir un tapis régulier de minuscules feuilles robustes !

## Les plantes pourrissent

Le pourrissement peut être dû à un excès d'eau et un manque de soleil. En été, quand le temps est chaud et ensoleillé, il convient d'arroser tôt le matin ainsi que le soir. Mais s'il fait froid, deux arrosages quotidiens peuvent provoquer des zones de pourrissement. Limitez-vous à un arrosage le matin.

Les plantes n'aiment pas le chlore présent dans l'eau du robinet. Utilisez des filtres à eau. Le pH (équilibre acidité/alcalinité) de la terre ou du substrat compte également. Mais je ne me hasarde pas sur ce terrain – j'ai un jardin potager, pas un laboratoire scientifique. En général, les terreaux sont bien équilibrés.

## Les tiges sont hautes et frêles

Sur ce point, la lumière est importante. J'ai déjà cultivé des jeunes pousses dans une remise avec peu de lumière et pas de soleil direct. En poussant, elles devenaient hautes, frêles et pâles, même si elles étaient parfaitement comestibles.

L'idéal est un emplacement en plein soleil une grande partie de la journée. Mais mon balcon n'est pas ensoleillé en permanence et il est parfois très venté. Quand c'est le cas, je ne déplace pas mes pots, car je n'ai pas d'autres endroits où les mettre, et j'en subis donc parfois les conséquences. Ce qui ne m'empêche pas d'obtenir de bons résultats.

## Les feuilles sont jaunes et anémiques

Ce problème est généralement dû à un manque de nutriments dans le substrat, tout comme sa qualité et son hétérogénéité peuvent expliquer une germination irrégulière. J'ai fait des essais avec un terreau bon marché, puis avec un mélange bio de bonne qualité, plus cher, et j'ai obtenu de meilleurs résultats avec le second. Les terres de mauvaise qualité ne contiennent pas les nutriments nécessaires à une bonne croissance. Le pH de l'eau peut lui aussi être en cause, mais j'en ai déjà parlé.

## Les pousses sont brûlées

Le soleil peut brûler les feuilles, qui sont alors moins belles et moins résistantes. N'arrosez pas vos plantes en pleine chaleur. Si vos pots sont brûlés sur les côtés, coupez les pousses sur les bords pour essayer de sauver le reste de la plantation.

# 4

# Propriétés nutritionnelles des jeunes pousses

« Chez moi, je ne sers que des aliments dont je sais d'où ils viennent. »
*Michael Pollan*

- Des aliments fonctionnels
- Des « superaliments »
- Un passe-temps bon pour la santé

## Des aliments fonctionnels

On appelle « aliments fonctionnels » ceux qui, en plus de leur valeur nutritionnelle, possèdent des propriétés en matière de santé et de prévention des maladies. Les jeunes pousses en font partie, ce qui explique l'explosion de la demande.

Il est également avéré qu'elles renferment des taux de composés concentrés actifs supérieurs à ceux des plantes adultes et des graines. Le chercheur australien Tim O'Hare, de la Gatton Research Station, a démontré que le potentiel chimioprotecteur de certains composés végétaux est surtout concentré dans les graines ainsi que les graines germées, et qu'il décline au fil de la croissance, ce qui laisse supposer une supériorité des jeunes pousses sur les plantes adultes.

Les jeunes pousses sont donc un moyen pratique d'absorber un concentré de composés actifs, soit sous forme de boisson santé comme le jus d'herbe, soit dans l'une ou l'autre des recettes présentées dans le chapitre 7.

## Des « superaliments »

L'herbe de blé est la plus connue des jeunes pousses cultivées pour leurs bienfaits sur la santé. Elle est réputée pour diminuer la tension et le cholestérol, augmenter le nombre de globules rouges, combattre les dérèglements de la glycémie comme le diabète et contribuer à la prévention de certains cancers. Elle est utilisée comme complément alimentaire sous forme de jus.

Les chercheurs ont montré que d'autres plantes comme le lin, le brocoli, le radis rouge et le chou rouge ont aussi des vertus. De nombreuses études ont notamment établi un lien entre la prévention du cancer et la consommation de brassicacées (ou crucifères) comme le brocoli, le chou cabus, la moutarde, la roquette et le chou frisé.

Certaines plantes contiennent notamment des phytœstrogènes (ou isoflavones), composés végétaux qui, comme les œstrogènes, réduisent les risques de certains cancers et les troubles hormonaux. On les trouve dans les haricots, le soja (très répandu dans la cuisine asiatique), le son, les graines de lin, la luzerne et le trèfle. Les graines germées ainsi que les jeunes pousses de luzerne et de trèfle en sont particulièrement riches.

### Les jeunes pousses de brocoli

Les jeunes pousses de brocoli sont excellentes pour la santé car elles contiennent un micronutriment, le sulforaphane, qui possède de réelles propriétés contre le cancer, le diabète ainsi que les microbes, et dont on pense même qu'il tue la bactérie responsable de la plupart des cancers et ulcères de l'estomac.

Jed Fahey, biochimiste-nutritionniste à l'université de médecine Johns-Hopkins de Baltimore, dans le Maryland aux États-Unis, a conclu d'une petite étude pilote menée au Japon sur cinquante personnes qu'une consommation régulière de jeunes pousses de brocoli « peut influer sur les causes de nombreux problèmes gastriques et même contribuer à prévenir le cancer de l'estomac ».

Il faut savoir que les jeunes brocolis possèdent jusqu'à vingt à cinquante fois plus de sulforaphane que les brocolis adultes.

*Ci-contre, en haut : les jeunes pousses de moutarde, comme les autres brassicacées que sont le brocoli et le chou, ont d'excellentes vertus pour la santé.*
*Ci-contre, à gauche : jeunes pousses de brocoli – un véritable « superaliment ».*
*Ci-contre, à droite : les jeunes pousses de trèfle violet sont très riches en phytœstrogènes.*

En plus de protéger contre le cancer, il a été démontré qu'une consommation régulière de sulforaphane participe à la prévention de diverses autres maladies telles que les ulcères, l'arthrite, l'hypertension et les affections cardio-vasculaires.

Selon les chercheurs de l'université Johns-Hopkins, la présence de nombreuses substances végétales comme le sulforaphane pourrait en partie expliquer les bienfaits sur la santé d'une alimentation riche en fruits et en brassicacées.

### Les autres brassicacées (ou crucifères)

Une étude menée sur le rôle des légumes asiatiques et occidentaux de la famille des brassicacées dans la prévention du cancer a mis en évidence que les graines germées de radis, de daikon (radis blanc japonais) et de brocoli sont les plus puissantes brassicacées anticancer, les graines germées de radis surpassant même celles de brocoli. Les variétés les plus foncées sont riches en vitamines, en minéraux et en antioxydants, et le chou contient du diindolylméthane, un composé qui assure l'équilibre hormonal et réduit les risques de maladies cardio-vasculaires, voire de certains cancers.

### Les graines de lin

Les graines de lin sont riches en lignanes et en acides gras oméga-3. Les lignanes sont bons pour le cœur et ont été classés par l'Institut national américain du cancer parmi les substances végétales ayant démontré leurs effets contre le cancer. Les études réalisées sur les souris ont en effet révélé une moindre croissance de certains types de tumeurs. Le lin aurait également pour effet de réduire la gravité des diabètes en stabilisant le taux de glycémie.

## Un passe-temps bon pour la santé

Les jeunes pousses sont donc bonnes pour la santé, notamment celles de basilic, dont les chercheurs ont montré les vertus anti-inflammatoires, antibactériennes et antioxydantes.

Elles sont aussi bonnes pour l'esprit. Imaginer et créer un jardin de jeunes pousses est une expérience très positive : planter des graines, prendre soin des plantes, apprécier le goût des produits frais et le fruit de son propre travail nourrit l'esprit aussi bien que le corps. Les jardins embellissent notre vie, et jardiner est une activité à la fois amusante et gratifiante.

# 5

# Les variétés de jeunes pousses

« Posséder un lopin de terre, le sarcler à la binette, planter des graines et regarder la vie renaître : c'est l'un des plaisirs les plus universels. C'est aussi ce qu'un homme peut faire de plus gratifiant. »

*Charles Dudley Warner*

- L'amarante (« Mekong Red »)
- Le basilic (« vert de Gênes », « Dark Opal »)
- Le blé tendre
- La blette (« Bright Yellow ») et la betterave (« Bull's Blood »)
- Le brocoli
- Le chou frisé (« Red Russian »)
- Le chou cabus (chou rouge)
- La ciboulette (ciboule de Chine)
- Le cresson alénois
- Le fenouil
- Le fenugrec
- Le lin (lin cultivé)
- Le maïs (maïs perlé)
- Le mizuna (« Red Coral »)
- La moutarde (brune, noire)
- Le persil (persil plat)
- Le pois (pois gourmand, « Fiji Feathers »)
- Le radis (daikon)
- La roquette
- Le trèfle (trèfle violet)

J'ai testé toutes sortes de légumes et d'herbes aromatiques pouvant être utilisés comme jeunes pousses, mais il en existe bien d'autres et le choix, comme les noms, varie d'un pays à l'autre. Si vous voulez essayer d'autres légumes, optez pour des variétés à feuilles telles que les épinards ou les choux verts, et non des variétés à fruits comme les tomates. Les herbes aromatiques conviennent très bien, mais leur germination est longue.

L'assortiment de variétés que j'ai choisi ici couvre un large éventail de saveurs, de textures, de formes, de couleurs et de valeurs nutritionnelles.

Renseignez-vous sur les variétés que l'on trouve dans votre région. Il vous faudra peut-être effectuer quelques petites recherches avant de faire votre choix.

Achetez de préférence des graines prévues pour les jeunes pousses et non des graines destinées au jardin. Celles pour jeunes pousses sont généralement vendues en plus gros conditionnement, dans les magasins bio et non en minuscules sachets comme dans les jardineries.

# L'amarante *(Amaranthus* sp.)
### Amarante tricolore « Mekong Red »

L'amarante, ou épinard chinois, est une céréale traditionnellement cultivée sous les climats secs. Cette plante native d'Amérique constituait la céréale de base des premières civilisations d'Amérique centrale et du Sud. Les Grecs remarquèrent la résistance de ses fleurs, en firent un symbole d'immortalité et lui vouèrent un culte.

Elle est désormais qualifiée de « supercéréale » ou de « céréale du futur ». Ses feuilles d'un magnifique rouge magenta ajoutent une touche de couleur éclatante ainsi qu'une saveur douce et acidulée aux salades, mais peu de consistance car elles sont très fines.

Les graines préfèrent la chaleur et une température constante, supérieure à 20 °C, pour germer. C'est une culture d'été ; il est donc déconseillé de faire pousser l'amarante en hiver : les variations de température se solderaient par une germination lente ou médiocre, puis par une piètre croissance.

Cette céréale des climats secs n'aime pas la terre constamment saturée d'eau. Les résultats sont meilleurs avec un substrat qu'avec de la pierre ponce, car les graines minuscules tombent entre les granulats. La méthode du linge humide lui convient bien. L'amarante pousse vite et repousse après avoir été coupée. Les feuilles peuvent être prélevées au stade du cotylédon ou laissées jusqu'à ce qu'elles deviennent de vraies feuilles, qui auront une texture différente.

En Chine et au Vietnam, les jeunes plants sont arrachés, rincés, émincés et cuits brièvement à la vapeur. À Singapour, les tiges sont pelées et consommées comme des asperges. Aux États-Unis, on les mange avec du chou et autres légumes verts. Les Grecs font bouillir les feuilles puis jettent l'eau de cuisson, qui contient de l'acide oxalique, une substance toxique à forte dose. En Afrique du Sud et en Namibie, elles se mangent avec la polenta.

*Ci-contre : amarante « Mekong Red ».*

# Le basilic *(Ocimum basilicum)*

Cette tendre plante aromatique native d'Iran, d'Inde et des régions tropicales d'Asie, très présente dans les cuisines d'Italie et d'Asie du Sud-Est, est cultivée depuis plus de cinq mille ans. Elle était jadis considérée comme une plante royale que seul le souverain pouvait couper, avec une faucille en or. À une époque, elle était aussi un élément de décoration incontournable des ateliers de cordonnerie.

Les scientifiques ont démontré que les composants de l'huile de basilic ont de puissantes propriétés anti-inflammatoires, antioxydantes, anticancer, antivirales et antimicrobiennes. Le basilic contient aussi des flavonoïdes, qui agissent pour la protection des cellules.

### Basilic « vert de Gênes »

Le basilic « vert de Gênes » est la variété de basilic la plus répandue. Les jeunes pousses ont une saveur plus subtile que la plante adulte – elles sont citronnées et pulpeuses. Elles sont délicieuses en salades et en soupes, mais aussi en desserts, notamment en toute petite quantité dans une compote de fruits ou un cocktail au jus de tomate ; elles apportent une note rafraîchissante au jus d'orange et aux fraises (voir la recette de fraises aux jeunes pousses de basilic page 98).

Le basilic demande un environnement chaud et stable. C'est une plante aromatique d'été, qui n'aime pas les grands changements de température, ce qui peut poser problème en cas d'amples variations entre le jour et la nuit. J'enregistre toujours de mauvais résultats quand le temps change rapidement ou que les températures sont trop basses et trop instables. En revanche, les graines germent vite entre 24 et 29 °C. Mais aux premiers signes d'humidité, les miennes virent au bleu !

Le basilic ne donne pas de très hautes tiges. Si vous l'avez planté dans la terre, veillez à ne pas en prélever en coupant les feuilles. Essayez de le cueillir juste avant de le manger et évitez si possible de le laver : les feuilles sont délicates et s'abîment facilement. Sinon, rincez-le juste avant de servir. Ne le lavez pas avant de le mettre au réfrigérateur, il se décolorerait ou noircirait comme le fait le basilic adulte.

### Basilic « Dark Opal »

Ce basilic ornemental aux feuilles violet foncé est idéal pour ajouter une touche de couleur à une salade estivale. Il a la saveur classique du basilic et complète à merveille un cocktail de jeunes pousses. Ses exigences sont les mêmes que celles du « vert de Gênes ».

*Ci-contre : basilic « vert de Gênes ».*

## Le blé tendre *(Triticum aestivum)*

Les jeunes pousses de blé tendre (ou froment) portent le nom d'« herbe de blé » et sont cultivées depuis des années pour être consommées non pas en pousses, mais en jus, le jus d'herbe.

Ce dernier est excellent pour la santé. C'est un concentré de vitamines, de minéraux, d'enzymes, de protéines et de chlorophylle. Il contient tous les acides aminés, toutes les vitamines et tous les minéraux indispensables à l'homme, ce qui en fait l'un des rares véritables aliments « complets ».

Le blé tendre est si riche en nutriments que 30 ml de jus d'herbe fraîchement pressée ont la même valeur nutritionnelle que 1 kg de légumes feuilles. À poids égal, il contient plus de vitamine C que l'orange et deux fois plus de vitamine A que la carotte. Mais attention : cela n'est vrai que si le blé tendre pousse en culture biologique, sur un sol qui n'a pas épuisé tous ses minéraux.

Le blé tendre diminuerait la tension et le cholestérol, augmenterait le taux de globules rouges, soulagerait les troubles de la glycémie tels que les diabètes et contribuerait à prévenir certains cancers.

Il est facile à cultiver. Je commence par faire tremper les graines pendant vingt-quatre heures dans de l'eau un peu chaude. Puis je les sème en abondance, je les recouvre délicatement de terre et je veille à bien les arroser. Les pousses de blé tendre restant plus longtemps sur pied que les autres, elles épuisent leurs réserves nutritives bien avant d'être récoltées. Elles nécessitent donc, à partir de la germination, l'apport quotidien d'une solution équilibrée de nutriments hydroponiques riches en minéraux bénéfiques pour la santé, comme le sélénium et le chrome. Une dose raisonnable de lumière naturelle dope également sa teneur en vitamines et en chlorophylle. Attention, les moineaux en sont friands. La première fois, ils ont même percé la charlotte en plastique qui recouvrait mes plantations.

Coupez les herbes une fois qu'elles ont atteint 20 à 25 cm de haut. Pour préparer votre jus d'herbe de blé maison, reportez-vous page 101.

*Ci-contre : blé tendre.*

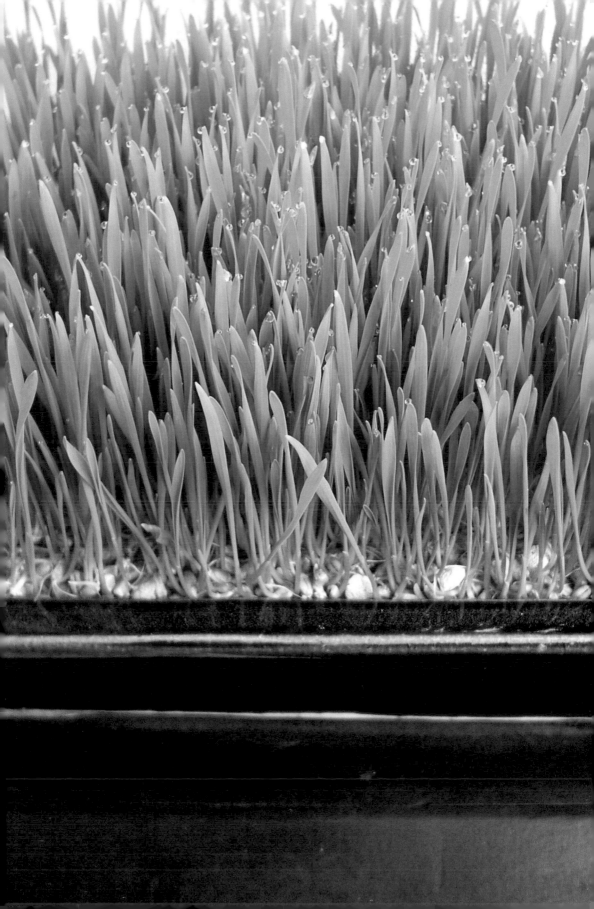

## La blette et la betterave *(Beta vulgaris)*

Dans la famille de l'amarante, on trouve un légume feuilles appelé « blette », « bette », « blette à cardes » ou « poirée », mais aussi les variétés plus connues de légumes racines que sont la betterave rouge et la betterave sucrière.

La blette à cardes jaune vif et la betterave appartiennent à la même espèce, mais l'accent est mis sur différentes parties de la plante : les blettes développent de grandes feuilles, tandis que pour la betterave, c'est la racine qui est privilégiée.

La blette a commencé à être cultivée deux mille ans av. J.-C., d'abord au Moyen-Orient, en Méditerranée et en Inde, puis en Chine et en Europe. Elle possède des vertus antioxydantes et des trésors de vitamines A, B1 et B2.

Il existe de nombreuses variétés et cultivars. La commercialisation et la dénomination des graines varient d'un pays à l'autre.

### Blette *(Beta vulgaris* var. *cicla)* « Bright Yellow »

Les plants de « Bright Yellow » ont une magnifique tige jaune et des feuilles vert foncé qui complètent à merveille un cocktail de jeunes pousses.

Faites tremper les graines pendant vingt-quatre heures pour favoriser et accélérer la germination. Je préfère utiliser un terreau plutôt que de la pierre ponce, pour m'assurer que les grosses graines seront bien couvertes et éviter que les lourds granulats de pierre ponce n'enfoncent les graines légères dans le pot.

Couvrez les graines avec un torchon et pour bien faire, maintenez l'humidité en ajoutant de l'eau avec une cuillerée à café d'engrais liquide à base de laminaire. La température doit rester constante pour assurer une bonne germination. Mais une fois les graines germées, elles risquent de pourrir si le substrat est trop humide.

Si les coques restent attachées, attendez quelques jours avant de cueillir les jeunes pousses. En revanche, s'il n'en reste que quelques-unes, vous pouvez les retirer délicatement avant la cueillette. Sinon, elles partiront au rinçage. Les tiges, de couleur jaune vif, se coupent au ras du substrat.

### Betterave *(Beta vulgaris* var. *crassa)* « Bull's Blood »

Les Romains cultivaient la betterave et consommaient ses feuilles comme légume. Ils l'utilisaient également contre la fièvre et la constipation. Dans la cuisine russe, racines et feuilles sont très présentes, en particulier dans les soupes.

La « Bull's Blood » est une variété originaire d'Amérique, très recherchée pour cultiver des jeunes pousses. Les feuilles, même les plus jeunes, ont une couleur pourpre intense qui rehausse les salades vertes et n'importe quel assortiment de jeunes pousses. Elles ont un léger goût de terre humide, qui rappelle la betterave et qui vient d'un composé organique d'origine microbienne appelé géosmine.

*Ci-contre : betteraves « Bull's Blood ».*
*Ci-dessous : blettes « Bright Yellow ».*

Elles se consomment aussi bien en entrées qu'en sandwichs, en soupes ou en ragoûts. Si vous devez les conserver, mettez-les au réfrigérateur, dans un récipient hermétique. Mais utilisez-les rapidement pour profiter au mieux de leurs bienfaits et de leur saveur.

La betterave « Bull's Blood » se cultive de la même manière que la blette « Bright Yellow ». Faites tremper les graines pendant vingt-quatre heures pour favoriser et accélérer la germination, puis utilisez du terreau plutôt que de la pierre ponce pour vous assurer que les grosses graines seront bien couvertes. Recouvrez-les d'un torchon et maintenez l'humidité. La température doit rester constante pour assurer une bonne germination. Mais une fois les graines germées, elles risquent de pourrir si le substrat est trop humide.

Si les coques restent attachées, attendez quelques jours avant de cueillir les jeunes pousses. En revanche, s'il n'en reste que quelques-unes, vous pouvez les retirer délicatement avant la cueillette. Sinon, elles partiront au rinçage. Les tiges se coupent au ras du substrat.

## Le brocoli *(Brassica oleracea* var. *italica)*

« J'aime les jeunes pousses de brocoli. J'en mange toute l'année, mais pas tous les jours car la diversité donne du piment à la vie : les autres jours, je mange des myrtilles. »
*Jed Fahey, de l'université Johns-Hopkins*

Le brocoli vient du chou sauvage, lui-même originaire d'Europe. Les Italiens furent les premiers à le consommer. Catherine de Médicis, épouse d'Henri II, et Marie de Médicis, épouse d'Henri IV, firent découvrir à la France la cuisine italienne et avec elle des légumes comme le brocoli, l'artichaut et le chou de Milan.

Dans la famille des brassicacées, le brocoli est l'une des espèces les plus faciles à cultiver pour obtenir des jeunes pousses. Il en existe différents hybrides et cultivars. Semez beaucoup pour récolter beaucoup, puis coupez la tige à mi-hauteur. Si vous attendez qu'apparaissent les vraies feuilles, elles risquent d'être ligneuses.

Les pousses sont délicieuses. Elles ont la saveur du brocoli, voire du chou selon certains. Comme la plupart des autres jeunes pousses, elles sont bonnes en salades ; elles sont également parfaites dans la recette de champignons farcis de la page 93.

Dans la catégorie des aliments santé, le brocoli est qualifié de « super-aliment ». Il est pauvre en graisses, riche en fibres, en fer et autres minéraux, ainsi qu'en vitamines A et C. Récemment, il a fait la une des journaux quand des chercheurs lui ont découvert des propriétés antivirales, antibactériennes et anticancer (que nous avons abordées au chapitre 4 sur la nutrition, page 41). Il semblerait en particulier qu'il joue un rôle dans la prévention du cancer de l'estomac. De nombreuses études ont ainsi mis en évidence un lien entre la prévention du cancer et la consommation de brassicacées comme le brocoli, le chou, la roquette et le chou frisé. « Nous savons qu'une dose de quelques dizaines de grammes par jour de graines de brocoli germées suffit à doper les enzymes protectrices de l'organisme, explique Jed Fahey, de l'université Johns-Hopkins. Nous pensons que c'est ce qui explique en grande partie les effets chimioprotecteurs de cette plante. »

Qu'il soit sous forme de jeunes pousses ou de graines germées, le brocoli présente les mêmes bienfaits pour la santé.

*Ci-contre : brocoli.*

## Le chou frisé *(Brassica oleracea acephala)*

Le chou frisé est un légume feuilles vert ou violet, qui fait lui aussi partie de la famille des brassicacées. Mais contrairement au chou cabus, son cœur n'est pas pommé. Le chou frisé était l'un des légumes verts les plus répandus en Europe jusqu'à la fin du Moyen Âge. Les variétés à feuilles frisées, que les Romains appelaient « choux sabelliens », côtoyèrent en Grèce les variétés à feuilles plates dès le iv$^e$ siècle av. J.-C. Ce sont les ancêtres de notre chou frisé. Pendant la seconde guerre mondiale, le gouvernement britannique a encouragé la culture du chou frisé dans le cadre de la campagne d'incitation à la culture potagère baptisée « Dig for Victory » (« Bêcher pour la victoire »), car c'était un légume facile à faire pousser et riche en nutriments indispensables pour compenser les carences dues au rationnement.

### Chou frisé « Red Russian »

Les jeunes pousses de chou frisé sont d'un magnifique gris-vert quand elles sont cultivées au chaud. Mais quand elles poussent dans le froid, leur tige est superbement violacée et le vert des feuilles est rehaussé. Cette variété traditionnelle est du plus bel effet dans un jardin potager et pousse facilement, en particulier en hiver.

La saveur des feuilles ondulées finement découpées est étonnamment subtile, douce, tendre et succulente. Côté couleur, elles se marient à merveille avec les jeunes pousses jaune et magenta des blettes à cardes jaune vif et de l'amarante. Je les préfère en salades, mais je les emploie également pour égayer certaines recettes comme les rouleaux de printemps (page 88).
Depuis que l'on a découvert leurs vertus pour la santé (voir chapitre 4, page 41), les brassicacées sont l'objet de toutes les attentions. Le chou frisé, lui, en plus d'être une mine de phytonutriments, est riche en bêtacarotène, en vitamine K et en calcium.

## Le chou cabus *(Brassica oleracea)*

Dans la famille des brassicacées, le chou cabus ou chou pommé se présente sous de nombreuses couleurs, tailles et formes. Il vient d'une plante à feuilles originaire des rivages de la Méditerranée, qui était connue des Grecs comme des Romains et très répandue en Europe au premier millénaire. Riche en vitamine C, le chou cabus contient également du diindolylméthane, qui participe à l'équilibre hormonal, prévient les maladies cardio-vasculaires et posséderait des propriétés

*Ci-contre : chou frisé.*

*Ci-dessus : chou rouge.*

contre certains types de cancers. Il serait également très indiqué les lendemains de fête (du moins les Romains le pensaient).

### Chou rouge *(Brassica oleracea* var. *capitata* f. *rubra)*

Cette variété de chou cabus possède des feuilles rouge foncé ou violettes, dont la couleur varie toutefois en fonction de l'alcalinité du sol. Les cultivars ne manquent pas, mais le choix diffère d'un pays à l'autre.

Le chou rouge a un léger goût de chou, une belle couleur, des veines rouges et des tiges violettes. Les graines germent vite et poussent facilement. Si vous avez une serre, méfiez-vous des chenilles. Vous aurez peut-être besoin d'installer un voile pour empêcher les papillons de pondre leurs œufs.

Si vous laissez le chou rouge pousser trop longtemps, il perdra de sa couleur. Plus vous le récolterez jeune, plus il sera sucré et tendre. Il se cueille et se lave facilement, du moment qu'il n'y a pas de moisissure dans les plantations, mais les coques des graines sont parfois difficiles à repérer sur les feuilles violet foncé.

Mariez-le avec le magenta de l'amarante et le jaune des blettes à cardes jaunes : le résultat sera étonnant. J'aime aussi l'association du chou frisé, du brocoli et du chou rouge.

*Ci-dessus : ciboulette de Chine*

## La ciboulette *(Allium schoenoprasum)*

La ciboulette est le plus petit membre d'une famille qui comprend aussi l'ail et l'oignon. Originaire d'Asie, d'Europe et d'Amérique du Nord, elle est riche en vitamines A et C, en calcium ainsi qu'en fer. Elle réduit le taux de cholestérol, renforce le système immunitaire et possède des vertus antiseptiques.

### Ciboule de Chine *(Allium tuberosum)*

Originaire des montagnes chinoises, la ciboule de Chine (ou ciboulette chinoise, civette de Chine, ail chinois) a un fort goût d'ail. Elle compense un volume minuscule par un goût très prononcé.

Les jeunes pousses de ciboule de Chine sont décoratives et souvent utilisées en remplacement de la ciboulette adulte. Les graines mettent plus de temps à germer que les autres, mais les pousses accompagnent très bien les salades, les viandes, les poissons, les soupes et les omelettes.

Pour de meilleurs résultats, semez les graines à faible profondeur, en grande quantité, et maintenez une chaleur ainsi qu'une humidité constantes. Coupez avec des ciseaux au bout de quatre à six semaines, une fois que les pousses ont atteint environ 5 cm de hauteur. Après la cueillette, la ciboule repousse.

## Le cresson alénois *(Lepidium sativum)*

Le cresson alénois est une plante à croissance rapide originaire d'Asie de l'Ouest et d'Europe, où il est très répandu et consommé en garniture. C'est l'une des jeunes pousses les plus anciennes. Qui n'a jamais fait pousser du cresson dans une soucoupe, sur du papier buvard humide ? C'est aussi un parent du cresson de fontaine et de la moutarde, dont il partage la saveur poivrée et piquante.

Le cresson possède des petites feuilles vertes, tendres et fragiles, sur une tige blanche. Faites bien attention en le cueillant et en le lavant, car il est très délicat. Il a une saveur poivrée qui réveille n'importe quelle salade. Il est également délicieux en beurre persillé et très décoratif en garniture. Les Anglais associent souvent pousses de cresson et de moutarde. Toutes deux se cultivent facilement et sont consommées depuis des années en salades et en sandwichs, notamment dans les sandwichs œuf-mayonnaise, où elles sont copieusement arrosées de poivre noir du moulin. Le cresson est également très accessible aux enfants.

Si vous souhaitez récolter simultanément de la moutarde et du cresson, vous devrez semer le cresson quatre jours avant la moutarde, afin que les deux soient prêts en même temps.

*Ci-dessous : cresson alénois.*

## Le fenouil (*Foeniculum vulgare*)

Le fenouil (*finocchio* en italien) est originaire d'Italie, où il est cultivé depuis des milliers d'années pour la cuisine. On le retrouve également dans les anciennes civilisations chinoise, indienne et égyptienne. Quant à ses jeunes pousses, elles étaient déjà appréciées pour saveur par les Romains.

Commencez par faire tremper les graines de fenouil, puis semez-les en abondance sur du terreau. Comptez une dizaine de jours avant de pouvoir cueillir les jeunes pousses. Si vous attendez un peu plus, vous obtiendrez de belles feuilles plumeuses.

À l'instar du fenouil adulte, les jeunes pousses ont un goût très prononcé de réglisse ou d'anis. Elles agrémentent aussi bien les pâtes que les pizzas ou les salades. Elles sont moins fortes, plus sucrées et plus parfumées que l'aneth. En plus d'être excellentes contre la mauvaise haleine, elles possèdent des vertus digestives et diurétiques, stimulent l'appétit et soulagent les indigestions. Après un repas épicé, il est conseillé de manger un yaourt agrémenté de pousses de fenouil.

Dans la plante adulte, on consomme aussi bien les graines que les feuilles, les fleurs et le bulbe.

*Ci-dessus : fenugrec.*

# Le fenugrec *(Trigonella foenum-graecum)*

Cette plante de la famille des légumineuses, également appelée « trigonelle » ou « sénégrain », est cultivée dans le monde entier. Ses feuilles sont utilisées comme herbe aromatique et ses graines comme épice, tandis que les graines germées renferment des éléments nutritifs intéressants, en particulier pour les femmes, et favorisent la digestion. Elles sont riches en vitamines A, B, C et E, en zinc, en potassium, en phosphore, en magnésium, en fer, en calcium, en carotène, en

phytonutriments, en chlorophylle, en acides aminés et en protéines. Le fenugrec
est l'une des plus anciennes plantes aromatiques et médicinales. D'ailleurs, la
ressemblance entre son nom arabe, *hulba*, et son nom mandarin, *hu lu ba*, est
révélatrice de son importance dans l'histoire. Ses graines sont l'un des ingrédients
de base des currys et autres mélanges d'épices comme le ras-el-hanout maro-
cain, ainsi que du Viandox. En Inde, les jeunes feuilles et les graines de fenugrec
germées sont consommées en légumes, tandis que les feuilles fraîches ou
séchées viennent parfumer les plats. Au Yémen, où il entre dans la composition
du plat national, le saltah, c'est le condiment le plus répandu. C'est également
l'une des quatre herbes employées dans la recette du ghormeh sabzi, ragoût
d'agneau aux herbes iranien. Enfin, l'industrie alimentaire l'utilise pour remplacer
le goût du sirop d'érable dans les plats préparés.

Les jeunes pousses de fenugrec sont faciles à cultiver, mais elles demandent
un peu de patience puisqu'il faut compter environ quatre semaines d'attente.
En revanche, j'ai toujours obtenu de bons résultats. Ne semez pas les graines
trop abondamment, car la plante est prolifique.

Les feuilles vert clair et les adorables tiges blanches ont une saveur douce-
amère ainsi qu'une texture succulente, qui relèvent les salades un peu fades
comme la laitue. Mon pharmacien indien m'a conseillé de manger les feuilles de
fenugrec avec du yaourt nature, du concombre dégorgé, du sel et du poivre.
Ou en salade, arrosées d'huile et d'une pincée de piment.

Les jeunes pousses se dégustent crues ou cuites. En Malaisie, on mange
une soupe de poisson traditionnelle à base de graines de fenugrec germées,
de vermicelles de soja et de nuoc-mâm.

# Le lin *(Linum* sp.)
Le lin est originaire d'une région qui s'étend de la Méditerranée à l'Inde. Il ne
faut pas le confondre avec le lin (ou chanvre) de Nouvelle-Zélande, du genre
Phormium, qui n'appartient pas à la même famille. Il est employé comme fibre
textile depuis plus de vingt mille ans et comme plante décorative depuis une
époque plus récente. Côté cuisine, ce sont ses graines et l'huile que l'on en
extrait qui sont exploitées.

## Lin cultivé *(Linum usitatissimum)*
Les graines de lin sont mucilagineuses, alors mieux vaut les cultiver pour les
jeunes pousses que pour obtenir des graines germées. Si vous essayez de les
faire germer dans un bocal, vous n'obtiendrez qu'un mélange visqueux qui finira
par pourrir.

*Ci-dessus : lin.*

Le lin se divise en deux grandes variétés : le lin brun et le lin jaune ou doré. Choisissez l'une ou l'autre, semez à faible profondeur et recouvrez d'un peu de terre. Les premières feuilles peuvent être coupées à 5 cm de haut, au bout de six à huit jours, et conservées jusqu'à une semaine au réfrigérateur.

Les feuilles ont une saveur légèrement épicée. J'en agrémente mes salades. Les graines de lin sont très nourrissantes et très riches en vitamines, en minéraux, en antioxydants, en lignanes ainsi qu'en acides gras, notamment oméga-3. Les lignanes sont bonnes pour le cœur et possèdent des vertus anticancer. Le lin aide également à combattre le diabète en stabilisant le taux de glycémie.

À défaut de jeunes pousses, consommez les graines elles-mêmes (mais choisissez uniquement celles vendues à des fins alimentaires), en smoothie au petit déjeuner : mélangez du yaourt, du lait, des fruits frais et une cuillerée à soupe de graines de lin par personne, mixez, puis servez.

Les jeunes pousses de lin sont peut-être légèrement moins riches en nutriments que les graines mixées en smoothie, mais elles sont un bon moyen de consommer à la fois des légumes et des oméga-3.

## Le maïs *(Zea mays)*

Cultivé en Amérique centrale
depuis l'Antiquité, le maïs
s'est d'abord répandu sur
l'ensemble du continent
américain, puis dans le reste
du monde après avoir été
introduit en Europe à la fin
du xve siècle et au début du
xvie siècle.

### Maïs perlé
### *(Zea mays var. everta)*

C'est le maïs dont on fait
le pop-corn. Il en existe
plusieurs variétés. Les
graines sont grosses et
doivent tremper vingt-quatre
heures dans de l'eau
chaude avant d'être semées.

J'obtiens d'aussi bons
résultats avec de la pierre
ponce qu'avec du terreau.
Les pousses doivent être
protégées de la lumière pour
ne pas verdir. Je retourne
donc un seau en plastique
sur le pot où j'ai semé mes
graines et je le laisse en

*Ci-dessus : jeunes pousses de maïs.*

permanence, sauf quand j'arrose. J'obtiens ainsi des pousses jaune vif qui, une
fois coupées, doivent être conservées dans une boîte opaque fermée pour garder
leur couleur.

En plus d'être très décoratives, ces pousses sont extrêmement douces et
tendres, avec un léger arrière-goût âcre qui me rappelle les grains de maïs
doux crus. Elles se mangent très jeunes car elles deviennent vite fibreuses.
Consommez-les en salades, mais surtout en garniture. Leur couleur unique
viendra égayer tous vos plats.

*Ci-dessus : mizuna « Red Coral ».*

# Le mizuna
## *(Brassica rapa, B. juncea)*

Le mizuna est le nom japonais de deux espèces de moutarde : Brassica rapa et Brassica juncea. Il est également appelé « salade de chou de chine Mizuma » car il est originaire de Chine et qu'on utilise ses feuilles au goût de moutarde pour composer les mesclun. Le mizuna contient de la vitamine C, de l'acide folique et des antioxydants. Comme d'autres brassicacées, il renferme aussi des glucosinolates, des composés organiques capables de protéger contre certains cancers.

### Mizuna *(Brassica juncea)* « Red Coral »

Le mizuna possède une tige blanche et des cotylédons vert clair. Ses vraies feuilles sont belles et dentelées. C'est l'une des jeunes pousses les plus rapides et les plus prolifiques, ce qui en fait une variété que l'on trouve très souvent sur les marchés. La germination va vite et les maladies sont rares. Il m'est toutefois arrivé d'avoir des plants qui pourrissent après une première poussée, peut-être parce que je les avais trop arrosés. En poussant, le « Red Coral » se pare d'un magnifique hâle bordeaux et ses feuilles très ciselées sont magnifiques. Il a la saveur

*Ci-dessus : moutarde brune.*

douce et sucrée, à la fois forte et rafraîchissante, de la moutarde fraîche. Il s'utilise aussi bien en salades qu'en mesclun si vous le laissez pousser plus longtemps. Un véritable délice.

## La moutarde
### (Brassica juncea, B. nigra)

La moutarde est cultivée depuis plus de cinq mille ans, aussi bien pour ses graines, qui sont indifféremment consommées comme épice, écrasées pour fabriquer de la moutarde ou pressées pour obtenir de l'huile, que pour ses feuilles, qui sont appréciées depuis longtemps. Il en existe plusieurs espèces, des genres *Brassica* et *Sinapis*.

J'ai obtenu d'excellents résultats avec les variétés dont je vais vous parler, mais aussi avec plusieurs lots de graines trouvées chez un marchand d'épices. Impossible de connaître leur variété : l'étiquette mentionnait simplement « moutarde », puisqu'elles étaient destinées à la cuisine. Mais les pousses se sont révélées délicieuses : un concentré de saveurs fortes et épicées qui rappelait la moutarde forte anglaise, en moins piquant.

### Moutarde brune *(Brassica juncea)*

La moutarde est également une plante potagère. La moutarde brune, moutarde chinoise ou encore moutarde indienne présente de nombreux cultivars très utilisés dans les cuisines chinoise et japonaise, comme le mizuna et le gai choy.

Le mélange délicieux de la moutarde et du cresson agrémente magnifiquement sandwichs et salades, auxquels la moutarde apporte une texture piquante et une note poivrée. Il m'arrive de laisser plus longtemps des jeunes pousses de moutarde sur pied. J'obtiens alors des tiges croquantes et souples au goût poivré, que j'utilise dans les rouleaux de printemps de la page 88 pour en rehausser le goût et apporter une texture différente de celle des autres ingrédients, plus tendres. Avec un peu de patience, la moutarde donne un excellent mesclun. Ses tiges fortes, souples et droites sont faciles à couper.

La moutarde brune est simple à cultiver et ne craint pas les températures hivernales. La germination et le rendement sont garantis. C'est le choix idéal si vous décidez de vous contenter d'un petit assortiment de jeunes pousses. Les feuilles ressemblent à du mizuna ciselé. Semez et ressemez pour avoir des tiges à couper toutes les deux ou trois semaines, toute l'année.

La moutarde brune est riche en vitamines A et K.

### Moutarde noire *(Brassica nigra)*

La moutarde noire, ou sénevé noir, serait originaire du Sud de la Méditerranée, où elle est cultivée depuis des lustres. Elle est même mentionnée dans l'Évangile selon saint Matthieu, chapitre 13, 31-32.

Elle est très facile à cultiver en jeunes pousses, comme toutes les moutardes, et se plaît autant dans le terreau qu'en culture hydroponique.

C'est également une plante appréciée pour ses graines, couramment utilisées comme épice. Les Éthiopiens la cultivent comme légume : ils consomment les pousses et les feuilles cuites, et les graines en épice.

La moutarde noire est riche en antioxydants tels que le sulforaphane. Des études ont montré qu'il réduit la fréquence des cancers du côlon, de la vessie et des poumons. Une consommation régulière de jeunes pousses de moutarde stimule donc les défenses de l'organisme contre le cancer.

Je les aime en salades, avec des légumes de saveur plus douce, ou en wraps. Et j'en ajoute aux œufs brouillés pour rehausser leur goût.

Je cultive également de la moutarde noire dans mon jardin pour l'utiliser en salades ou en légumes sautés. La plante peut atteindre entre 60 et 120 cm de haut, et s'orne de petites fleurs jaunes.

*Ci-contre : jeunes pousses de moutarde.*

## Le persil *(Petroselinum crispum)*

Le persil, qu'il soit frisé ou plat, est l'une des herbes aromatiques les plus connues et les plus consommées au monde, notamment dans les cuisines du Moyen-Orient, d'Europe et d'Amérique. Il est riche en fer.

### Persil plat ou persil de Naples
### *(Petroselinum crispum* var. *neapolitanum)*

Les jeunes pousses de persil à feuilles plates ont une saveur à la fois douce et épicée, et des feuilles vert foncé en forme de trèfle. À maturité, ces dernières sont l'un des composants du fameux bouquet garni.

Hélas, les graines donnent des résultats inégaux et la plante pousse lentement, mais l'effort en vaut la peine. Faire tremper les graines dans de l'eau chaude pendant vingt-quatre heures avant de les planter peut aider. Attendez qu'apparaissent les vraies feuilles et cueillez-les à mesure de vos besoins plutôt que de les conserver au réfrigérateur.

Le persil plat est délicieux sur les pâtes, dans les sandwichs ou en garniture. Aujourd'hui, de nombreux cuisiniers le préfèrent au persil frisé. Sa saveur est tout aussi prononcée, mais plus délicate.

## Le pois *(Pisum sativum)*

Le pois serait originaire d'Asie occidentale. Cultivé par les Hébreux, les Perses, les Grecs et plus tard les Romains, il est désormais présent dans le monde entier. On a même retrouvé des traces de sa culture au Néolithique, sur le site d'un village lacustre de Suisse. Dans l'Europe du début du XVIIe siècle, il était considéré comme un luxe décadent.

Les pousses de pois se consomment depuis longtemps et sont notamment très appréciées comme garniture. Sucrées et croustillantes, elles ont le goût des pois fraîchement écossés ou des jeunes pois gourmands – un vrai délice. Leur longue tige craquante a la saveur des cosses de pois gourmand.

Il est préférable d'utiliser des graines non traitées pour éviter les résidus de fongicides et de tout autre produit chimique dans le jeune plant. Vous pouvez les faire tremper pendant vingt-quatre heures dans de l'eau chaude avant de les semer en abondance, en saupoudrant les graines sur la terre ou la pierre ponce, en une seule couche pour que les pois dressent bien droit leur tige blanche et leurs feuilles vertes. Couvrez-les de terre et veillez à ne pas les déterrer en arrosant.

*Ci-contre : persil plat.*

Mieux vaut étaler les plantations dans le temps et ne pas planter trop de graines à la fois. Les pousses sont meilleures quand elles atteignent environ 5 cm de haut. Si elles sont trop grandes, ne mangez que la partie haute car les tiges deviennent ligneuses si elles poussent trop longtemps.

Le pois aime les températures fraîches. En été, faites-le pousser à l'ombre pour éviter qu'il ne perde sa couleur et son goût sucré. En hiver, vous apprécierez sa saveur fraîche et printanière. C'est aussi l'une des jeunes pousses les plus rapides à cultiver, en particulier à l'intérieur, et il plaît beaucoup aux enfants.

Les pousses de pois se conservent au réfrigérateur, dans des boîtes ou des sachets en plastique, mais elles sont meilleures fraîchement coupées.

Les graines germées et les jeunes pousses de pois sont riches en protéines, en glucides et en vitamine C, mais aussi en vitamines B1 et B3, en fer, en magnésium et en zinc.

Méfiez-vous des oiseaux, grands amateurs de pois. Depuis que des moineaux se sont régalés avec les miens, écartant les feuilles et volant toutes les graines, je couvre mes pots avec des charlottes en plastique transparent. Je mets de la nourriture pour les oiseaux sur le même balcon et ils doivent penser qu'ils peuvent se servir à leur guise. Les rongeurs eux aussi semblent aimer les pois.

Ne coupez pas trop bas, car contrairement à beaucoup d'autres jeunes pousses, les pois repoussent si on laisse un peu de tige. Et puis, cela vous épargnera de récolter de la terre. Il suffit ensuite de les passer rapidement sous l'eau. Les vrilles ne retiennent pas l'eau et sèchent donc rapidement.

## Pois gourmand

Les pois gourmands, ou pois mangetout, sont délicieux entiers ou émincés, en salades. Ils ont le goût sucré des pois fraîchement écossés. Si vous en avez trop et qu'ils poussent trop vite, préparez une soupe de pois et agrémentez-la de pousses émincées. Vous serez épaté par sa couleur vert vif et le contraste des textures. La recette des rouleaux de printemps page 88 leur sied à merveille. Ils sont délicieux en salades composées et apportent texture et fraîcheur aux légumes sautés. Si vous les cuisinez seuls, ils sont bons sautés avec du gingembre frais râpé et une goutte d'alcool de riz.

## Pois « Fiji Feathers »

Les pois « Fiji Feathers » déroulent leurs vrilles dès l'apparition des jeunes pousses, les vrilles étant les filaments verts, fins et plumeux que la plante utilise pour s'accrocher et grimper à son support. Les « Fiji Feathers » ont de longues vrilles et

*Ci-contre : pois gourmands.*

moins de feuilles que les pois gourmands. Ils produisent de très jolies pousses au goût de petit pois frais. Ils se cultivent puis se récoltent comme les pois gourmands, et apportent une touche exotique aux salades, aux plats cuisinés et aux viandes. Ce n'est toutefois pas la seule variété de ce type.

## Le radis *(Raphanus sativus)*

L'homme se nourrit vraisemblablement de radis depuis la préhistoire en Europe et, aux environs de 10 000 av. J.-C., les peuples d'Asie ont découvert qu'en repiquant les radis et les navets dans la terre à une certaine époque de l'année, ils repoussent. Durant le premier millénaire, la culture du radis était très répandue en Europe.

Les jeunes pousses de radis sont parmi les plus faciles à cultiver sous les climats tempérés ou froids, et donnent toujours de bons résultats. Elles poussent sans effort, comme les radis, et n'exigent aucune attention particulière. Et elles poussent vite, puisqu'elles peuvent être cueillies dès le stade du cotylédon, sans attendre qu'apparaissent les vraies feuilles.

Il en existe de nombreuses variétés. Certaines ont des reflets rose-rouge et des feuilles d'un violet éclatant ; d'autres une splendide tige rose. Coupez aussi cette dernière, pour profiter pleinement de sa couleur étonnante. Plus la plante sera exposée au soleil et plus la température sera fraîche, plus la tige aura une belle couleur.

Sa vitesse de croissance et la garantie quasi absolue de succès font du radis la plante idéale pour initier des enfants. J'ai notamment obtenu d'excellents résultats avec les radis verts.

Si vous les cueillez au stade du cotylédon, les pousses sont tendres et les tiges conservent leur couleur éclatante. Au-delà, ces dernières deviennent ligneuses et dures ; préparez-les alors en bouillons ou en soupes.

Les jeunes pousses de radis sont idéales pour ajouter de la couleur et du croquant aux salades vertes. Elles sont aussi bonnes en sandwichs, pour agrémenter les soupes et les ragoûts, ou en garniture. J'en mets dans l'éclatante salade toute rouge de la page 90.

*Ci-dessus : radis « Sango ».*
*Page de droite : radis daikon.*

Elles sont riches en goût et si les jeunes feuilles de radis sont épicées, les jeunes pousses peuvent parfois se révéler aussi fortes et âcres que les radis eux-mêmes. Elles sont tendres, mais croquantes, et assez peu fragiles. Elles sont également faciles à laver. Vous trouverez beaucoup de coques de graines dans l'eau de lavage, mais elles sont légères et flottent à la surface. Retirez-les à la main et changez l'eau jusqu'à ce qu'il n'en reste plus.

Les variétés les plus foncées sont riches en vitamines, en minéraux et en anti-oxydants. Elles sont, avec le brocoli et autres brassicacées, un véritable aliment santé (voir chapitre 4, page 41).

### Daikon *(Raphanus sativus var. longipinnatus)*
Le daikon, également connu sous les noms de « radis chinois » ou « radis d'hiver », est un gros radis blanc d'Asie orientale qui, à l'instar des autres radis, pousse vite et facilement, aussi bien dans du terreau que dans de la pierre ponce. Ses jeunes pousses ont une longue tige blanche croquante et de délicates feuilles vertes. Elles sont épicées et fortes, avec un léger effet à retardement. Elles sont bonnes en salades, en soupes, en wraps et en sandwichs.

La plante est bourrée de vitamines, d'acides aminés, d'antioxydants et de minéraux. Une étude menée récemment en Australie par le *Queensland Department of Primary Industries and Fisheries*, sur les vertus anticancer de vingt-deux brassicacées, a classé les graines germées de radis, de daikon et de brocoli en tête des brassicacées anticancer les plus puissantes, les graines de radis germées devançant même celles de brocoli.

## La roquette *(Eruca sativa)*
Cette plante originaire du Bassin méditerranéen était très appréciée des Romains, qui l'utilisaient aussi bien en salades que comme plante médicinale.

La saveur poivrée et piquante des jeunes pousses de roquette fait merveille dans les salades et les sandwichs, et même sur les pizzas, ce qui leur vaut une certaine cote de popularité depuis le début des années 1990.

De plus, elles poussent vite et facilement, surtout quand le temps est frais, et les graines peuvent germer à partir d'une température de 4 °C. J'obtiens notamment d'excellents résultats en automne. Au stade de la jeune pousse, la plante ressemble à un magnifique coussin de verdure. La rapidité de sa germination et de sa croissance en fait une culture idéale pour tous.

*Ci-contre : roquette.*

*Ci-dessus : trèfle violet.*

En revanche, les plants peuvent pourrir si l'air ne circule pas. J'ai couvert mon pot de roquette pour chasser les oiseaux qui s'étaient pris d'affection pour les graines, mais elles ont pourri. Je pense aussi les avoir trop arrosées.

La pierre ponce est le substrat idéal, car les feuilles et les tiges sont fragiles, donc délicates à laver quand elles sont chargées de terre. Elles sont également difficiles à arroser par le haut. Si les feuilles penchent, redressez-les délicatement. Les graines sont mucilagineuses et collent aux cotylédons.

## Le trèfle *(Trifolium* sp.*)*

Le trèfle est un légume de la famille des pois et un cousin de la luzerne. Plusieurs variétés sont cultivées comme plante fourragère, notamment le trèfle blanc et le trèfle violet. C'est une plante savoureuse et nourrissante, qui pousse librement et en abondance.

### Trèfle violet ou trèfle des prés
### *(Trifolium pratense)*

Semez les graines en abondance dans du terreau. N'abusez pas de l'arrosage, surtout si vous arrosez par le haut, car il arrive qu'après une première poussée, les graines commencent lentement à pourrir si l'environnement est trop humide, le risque étant d'autant plus grand que le semis est dense.

Le trèfle violet a une texture croquante et un goût de noisette. Ses feuilles magnifiques ressemblent à de minuscules feuilles de lotus sur une fine tige délicate. Je les apprécie en salades et en sandwichs, mélangées avec d'autres jeunes pousses.

C'est un aliment de premier ordre, reconnu pour ses vertus médicinales dès l'Antiquité, puis particulièrement réputé au XIXe siècle pour son action contre les affections respiratoires, les rhumes, les grippes et les infections. Il contient des phytœstrogènes, substances très présentes dans la cuisine d'Asie (grâce au soja) et qui expliqueraient la faible incidence du cancer de la prostate chez les Asiatiques. C'est aussi une mine d'huile essentielle, d'acides aminés, de vitamines et de minéraux qui apaisent le système nerveux ainsi que l'estomac.

# 6

# Jeunes pousses pour jeunes enfants

« Si vous plantez un radis, vous obtiendrez forcément un radis. C'est ce que j'aime avec les légumes : vous savez à quoi vous attendre ! »
*Tom Jones et Harvey Schmidt*

- Croissance rapide, résultat express
- De jolis pots
- Et maintenant, à table !

## Croissance rapide, résultat express

Les jeunes pousses sont un moyen idéal d'apprendre aux enfants à cultiver et manger des légumes feuilles frais, et de leur faire découvrir que les légumes poussent dans la terre, pas dans les magasins. En effet, elles poussent vite et les récompensent rapidement de leurs efforts, en les tenant en haleine et en ne leur laissant pas le temps de s'ennuyer ni d'abandonner. Misez sur des variétés à croissance rapide qui ont fait leurs preuves, comme le radis, le chou frisé ou le pois.

Pour commencer, choisissez de jolis petits pots (voir plus loin) et un assortiment de graines. C'est un moyen infaillible de susciter l'attention des enfants. Les petits pois sont une valeur sûre pour débuter, en particulier les « Fiji Feathers » et autres variétés similaires, qui ont de longues et fascinantes vrilles minces, nerveuses et exubérantes (voir page 73). Leur saveur est douce et tout se mange. Les radis aussi poussent avec rapidité et facilité, mais leur saveur est un peu forte pour des palais non avertis.

## De jolis pots

Les enfants aiment les pots en plastique transparent, surtout si vous utilisez de la pierre ponce, car les racines sont visibles. Si vous couvrez avec un torchon plutôt qu'avec de la terre, ils pourront jeter un coup d'œil aux graines qui germent, les voir former des racines et des pousses, puis devenir des plantes. Mais les enfants aiment aussi les petits pots amusants et originaux. Voici quelques idées.

• Faites-leur peindre de vieilles boîtes de conserve. Elles sont parfaites pour les petites quantités de pousses. Avec un clou, percez quelques trous au fond pour le drainage.

• Essayez d'utiliser un carton à œufs et de planter des variétés différentes dans chaque alvéole. Le carton sera vite gorgé d'eau et envahi par les racines, mais vous pourrez le poser sur un plateau solide.

*Page de gauche : les enfants ont utilisé des bouteilles en plastique dont ils ont coupé le fond pour créer des miniserres sur des boîtes de conserve*

*Ci-contre : fraises et jeunes pousses de moutarde. Ces dernières ont été plantées dans de minuscules pots en plastique glissés dans des coupes de glace décorées de feuilles de capucine.*

• Les enfants aiment bien planter les graines dans de la pierre ponce, au fond de petits paniers vapeur chinois déjà percés pour le drainage.

• Utilisez des petits pots en plastique qui s'emboîtent parfaitement dans des bols ou des petits saladiers, qui seront faciles à manipuler pour les enfants.

• Une vieille passoire en émail est une solution à la fois originale et pratique, puisqu'elle est déjà pleine de trous de drainage. J'y fais pousser du blé tendre, mais toute autre jeune pousse convient.

*Ci-dessus : jeunes pousses de moutarde semées dans des coquilles d'œufs alignées dans un carton à œufs.*

• Les boîtes de pâtes à emporter ont la taille idéale pour accueillir les pots de fleurs en plastique vendus en jardineries. Il suffit de mettre du plastique au fond pour empêcher le carton d'être détrempé.

• Gardez les petites boîtes de conserve ou les bouteilles en plastique qui s'emboîtent dans des récipients comme les bols et tasses. Rien ne vous empêche de les couper dans le sens de la hauteur si elles sont trop hautes.

• Les coupes à glace de récupération ont la taille idéale pour accueillir de minuscules pots de jeunes pousses de moutarde, assortis de quelques feuilles de capucine pour masquer les étiquettes.

• Après avoir soigneusement ôté la partie supérieure de la coquille d'œuf (avant de les pocher par exemple), vous pouvez les remplir de terreau, percer un trou au fond de la coquille pour le drainage et y planter toutes sortes de jeunes pousses. Les plantations doivent être arrosées régulièrement, car elles n'ont pas beaucoup de terre et ont besoin de grandes quantités d'eau. Les enfants peuvent ensuite s'amuser à dessiner des visages sur les coquilles.

• Les petits doseurs en plastique vendus avec les barils de lessive sont amusants pour faire des microplantations. Ils fournissent la dose nécessaire pour un sandwich. Taillez une fente au fond pour le drainage et arrosez régulièrement, car les pousses n'ont pas beaucoup de terre.

## Et maintenant, à table !

Une fois les jeunes pousses prêtes à être cueillies, comment les enfants auront-ils envie de les manger ? Page 88, vous trouverez une recette de rouleaux de printemps qu'ils peuvent s'amuser à faire eux-mêmes.

Les beignets de maïs et de feta de la page 97 sont eux aussi amusants à faire, et les enfants pourront utiliser des emporte-pièces comme moules. Servez-les avec une sauce tomate maison.

Et surtout, n'hésitez pas à ajouter une poignée de jeunes pousses à tous vos sandwichs et autres pitas !

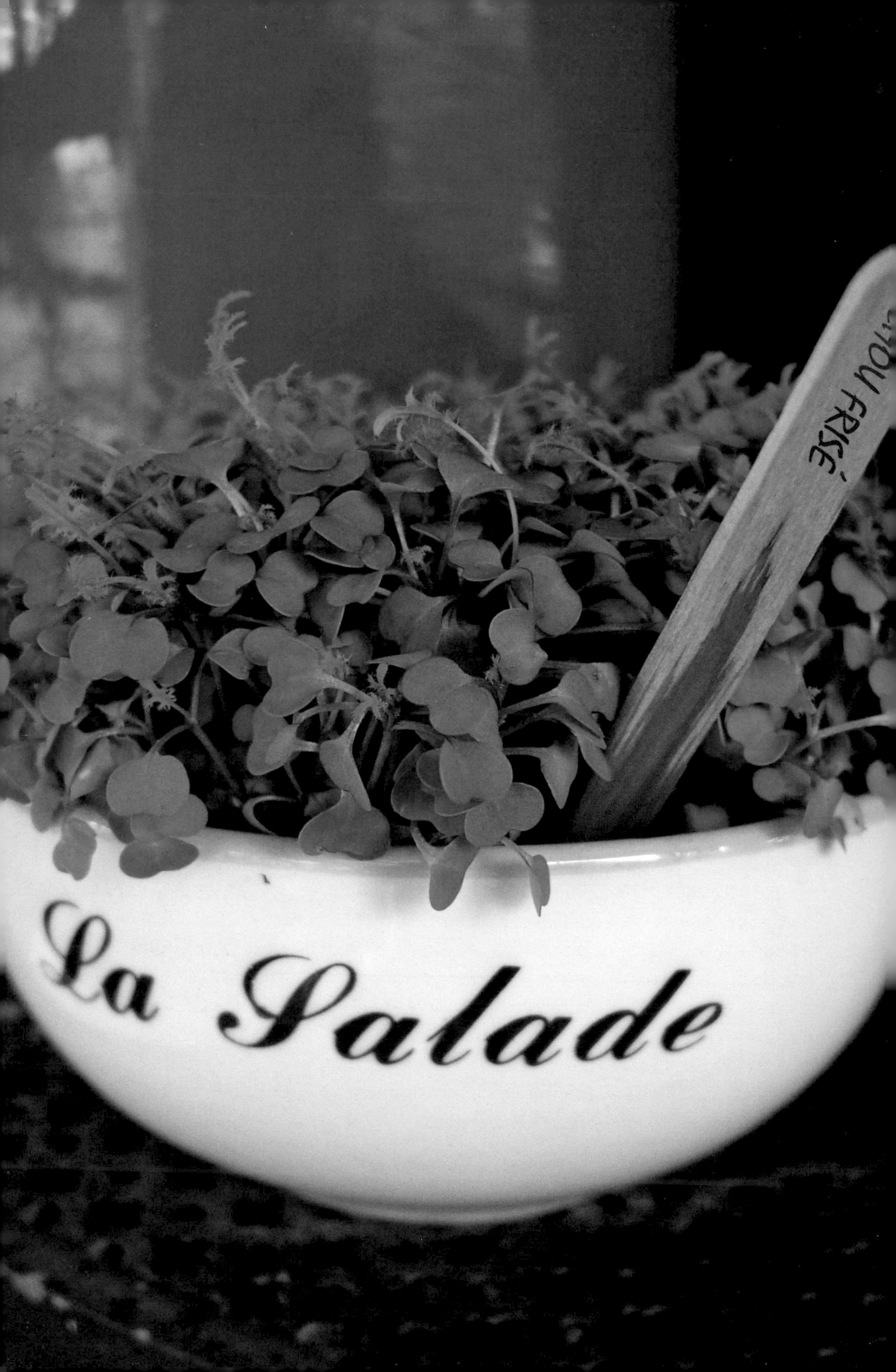
La Salade

# 7

# Recettes

*Par Fionna Hill et Garance Leureux*

- Rouleaux de printemps
- Salade toute rouge
- Sauce grenadine
- Idées de sandwich aux jeunes pousses
- Des recettes crues pour vous régaler de jeunes pousses
- Beignets de maïs, de feta et de jeunes pousses
- Salade de poire, d'avocat et de jeunes pousses
- Fraises aux jeunes pousses de basilic

Les jeunes pousses sont un plaisir à cultiver, mais aussi à manger car elles sont riches en goût, tendres, colorées, et elles possèdent un important capital nutritionnel. Je les coupe au dernier moment et je les préfère crues que cuites.

Crues, elles sont formidables en salades ou en garniture, pour rehausser la saveur d'un plat ou simplement décorer une assiette. Elles sont également idéales dans les sandwichs, les wraps et autres farces.

Pour relever une laitue, ajoutez-y une poignée de jeunes pousses mélangées, des olives, des câpres et du gingembre. J'adore la menthe et le cresson : j'en ai toujours sur mon balcon. Je cueille des feuilles et, en quelques minutes, j'obtiens une salade délicieuse.

La moutarde verte est très prolifique : j'en prélève quelques pousses sur les bords et il m'en reste toujours une généreuse quantité pour plusieurs jours.

Quand j'ai beaucoup de jeunes pousses, j'en mets aussi dans les plats cuisinés. La moutarde et le mizuna rehaussent la saveur des quiches aux légumes et des légumes sautés, mais leurs pousses ont tendance à passer inaperçues une fois cuites. J'en incorpore toujours quelques-unes aux œufs brouillés, à la dernière minute. Mais ce ne sont là que quelques idées, et je fais chaque jour de nouvelles découvertes.

# Rouleaux de printemps

12 feuilles de riz

*Garniture*
100 g de jeunes pousses de pois
100 g de jeunes pousses de moutarde brune
Lamelles de gingembre mariné coupées en lanières
2 grosses carottes coupées en fines lanières
2 courgettes non pelées coupées en lanières
2 oignons nouveaux émincés
1 gros poivron jaune coupé en fines lanières
Pétales de souci, d'onagre et de bourrache

- Humidifiez un torchon propre.
- Faites tremper une feuille de riz dans de l'eau chaude jusqu'à ce qu'elle commence à se ramollir, égouttez-la délicatement, couvrez-la du linge humide et patientez environ 1 minute.
- Disposez un peu de chaque légume sur la feuille de riz.
- Roulez la feuille en serrant bien et glissez des pétales, que l'on verra par transparence, avant de faire le dernier tour. Renouvelez l'opération avec les autres feuilles.
- Recouvrez les feuilles du linge humide et placez-les au réfrigérateur en attendant de servir avec une bonne sauce soja allongée d'huile de sésame et d'une pincée de piment.

*Ci-contre : rouleaux de printemps*

# Salade toute rouge

60 g de graines de courge
60 g de graines de tournesol
2 c. à café de graines de cumin
150 g de jeunes pousses
(chou rouge, radis et basilic violet par exemple)
1 betterave rouge crue râpée
1 grosse carotte râpée
¼ de chou rouge émincé
½ piment rouge émincé
½ oignon rouge émincé
1 c. à café de graines de sésame noir
150 g de quinoa (de préférence rouge) cuit

- Mélangez les graines de courge, de tournesol et de cumin.
- Faites-les légèrement griller à sec à la poêle, sur feu moyen, en remuant continuellement.
- Pendant qu'elles refroidissent, mélangez les autres ingrédients.
- Une fois les graines refroidies, mélangez le tout.
- Arrosez la salade de sauce grenadine (voir recette suivante) et servez.

# Sauce grenadine

4 c. à café de mélasse ou de pâte de grenade
Le jus et le zeste finement râpé de 1 orange
4 c. à soupe d'huile d'olive
Sel de mer et poivre noir du moulin
1 c. à soupe de menthe ciselée

- Mélangez tous les ingrédients.

*Ci-contre : salade toute rouge.*

# Idées de sandwich aux jeunes pousses

Quel plaisir que de confectionner un sandwich garni de nos meilleures récoltes !
Les jeunes pousses apporteront fraîcheur, croquant et leur goût plus ou moins
relevé à des sandwichs végétaux sains et économiques.

## Sandwich à l'hummus et aux oignons

Tartinez les tranches de pain avec de l'hummus, incorporez des rondelles
d'oignons et des jeunes pousses.

## Sandwich vert au tofu fumé

Réduire la chair d'un avocat en une purée, assaisonnez de jus de citron et tartinez
les tranches de pain avec cette préparation. Garnir le sandwich de fines tranches
de tofu fumé, de salade et de jeunes pousses.

## Sandwich italien aux jeunes pousses de basilic

Frottez les tranches de pain à l'ail et à la tomate fraîche. Garnir le sandwich de
jeunes pousses de basilic, de tranches de mozzarella et d'olives noires.

## Sandwich au coulis vert et aux haricots rouges

Tartinez vos tranches de pain avec un coulis vert aux jeunes pousses (voir
page 94) et garnir le sandwich d'une poignée de haricots rouges bien cuits
et d'échalotes hachées.

# Des recettes crues pour vous régaler de jeunes pousses

## Sauce vitalité

> 2 c. à soupe de purée d'amande blanche
> 1 yaourt
> 2 grosses poignées de jeunes pousses hachées
> ½ yaourt d'huile d'olive

- Délayez la purée d'amande avec deux cuillerées à soupe d'eau, ajoutez le yaourt et l'huile tout en remuant.
- Incorporez les jeunes pousses hachées finement.
- Salez et poivrez.

## Coulis vert aux jeunes pousses

> 2 poignées de jeunes pousses (une ou plusieurs variétés)
> 3 échalotes
> 2 yaourts
> 5 c. à soupe d'huile d'olive

- Hachez soigneusement échalotes et jeunes pousses et mélangez tous les ingrédients.
- Salez et poivrez, puis servez en accompagnement de galettes de céréales.

## Pesto aux jeunes pousses

> 150 g de pignons
> 2 grosses poignées de jeunes pousses
> (basilic, mais aussi mizuma ou moutarde...)
> 5 c. à soupe d'huile d'olive
> 2 c. à soupe de jus de citron

- Mixez tous les ingrédients au blendeur jusqu'à obtention d'un pesto bien lisse.

# Pâte à tartiner aux jeunes pousses

Une fois mixées avec l'avocat, les jeunes pousses se transforment en un beurre végétal fondant à tartiner sans modération !

> 1 avocat
> 2 poignées de jeunes pousses (radis, mizuma conviennent très bien)
> jus de citron

- Épluchez l'avocat et ôtez le noyau.
- Mixez les morceaux d'avocat dans un petit blendeur, ajoutez les jeunes pousses, deux cuillerées à soupe de jus de citron et travaillez au blendeur jusqu'à obtenir une consistance crémeuse.
- Servez aussitôt.

# Soupe crue aux jeunes pousses

Variez les soupes crues, style gaspacho, pour consommer vos récoltes aux beaux jours.

> 2 fenouils
> 1 poignée de jeunes pousses
> 1 avocat
> 2 belles tomates

- Travaillez au blendeur les tomates coupées en morceaux, ajoutez l'avocat épluché, les jeunes pousses et le fenouil coupé en morceaux.
- Salez, poivrez si besoin et servez bien frais.

# Velouté aux courgettes et aux jeunes pousses

> 1 courgette
> 2 concombres
> 1 à 2 poignées de jeunes pousses
> citron

- Passez la courgette et les concombres épluchés au blendeur.
- Ajoutez les jeunes pousses et le jus d'un demi-citron.
- Salez, poivrez et servez bien frais.

# Beignets de maïs, de feta et de jeunes pousses

*Pâte à beignets*
150 g de farine de blé
1 c. à soupe de poudre à lever
1 c. à café de sel
Poivre noir du moulin
2 œufs
125 ml d'eau gazeuse

*Autres ingrédients*
140 g de maïs en grains
80 g de feta émiettée
100 g de jeunes pousses (une ou plusieurs variétés)

- Passez les ingrédients solides de la pâte à beignets au tamis.
- Mélangez tous les ingrédients de la pâte, jusqu'à obtenir une préparation onctueuse.
- Incorporez le maïs et la feta puis mélangez.
- Ajoutez les jeunes pousses et mélangez.
- Laissez reposer 10 minutes.
- Prélevez des cuillerées de pâte et formez des beignets que vous ferez dorer des deux côtés à la poêle, dans un peu d'huile, à feu moyen.
- Servez avec un chutney de votre choix et une salade de jeunes pousses.

# Salade de poire, d'avocat et de jeunes pousses

2 poires nashis
2 avocats
60 ml de jus de citron fraîchement pressé
300 g de jeunes pousses au choix
125 g de graines de tournesol
4 c. à soupe d'huile de tournesol
1 c. à soupe de sauce soja (tamari)

- Pelez puis coupez en tranches les poires et les avocats. Arrosez-les de jus de citron.
- Ajoutez tous les autres ingrédients.
- Assaisonnez avec l'huile de tournesol et la sauce soja.
- Remuez délicatement et servez.

*Ci-contre : beignets de maïs, de feta et de jeunes pousses.*

# Fraises aux jeunes pousses de basilic

Les fraises et le basilic forment un mariage rafraîchissant. Essayez ce dessert estival d'une grande simplicité !

250 g de fraises coupées en quatre ou en deux, selon la taille
2 c. à soupe de sucre
Le jus de 1 orange
Le jus et la pulpe de 4 fruits de la passion
½ poignée de jeunes pousses de basilic

- Saupoudrez les fraises de sucre.
- Mélangez délicatement avec les jus d'orange et de fruit de la passion.
- Laissez reposer 15 minutes.
- Ajoutez le basilic, en conservant quelques brins pour décorer.
- Disposez la pulpe des fruits de la passion sur les fraises.
- Servez dans des coupes et décorez de jeunes pousses de basilic.

*Page de droite et ci-dessus : fraises aux jeunes pousses de basilic.*

# 8

# Jus d'herbe

*Par Garance Leureux*

- Une boisson énergétique, 100 % naturelle
- Un cocktail de chlorophylle à servir… très frais
- Une matière première de bonne qualité
- L'extracteur de jus, un outil indispensable
- La conservation du jus d'herbe
- Smoothie force verte au jus d'herbe

## Une boisson énergétique, 100 % naturelle

Vous avez obtenu une belle récolte d'herbe de blé (voir page 50) ou d'herbe d'orge ? C'est le moment de vous initier à la fabrication maison du jus d'herbe.

Cette boisson santé, appelée également, « élixir de vie » ou « plasma végétal » est réputée pour sa concentration en fer, en carotène, en acide folique… et bien entendu en chlorophylle qui lui donne sa belle couleur soutenue. La chlorophylle est considérée comme chimiquement très proche du corps humain, elle favoriserait donc le renouvellement du sang et par là le renforcement du système immunitaire.

Bien sûr nous consommons tous les jours de la chlorophylle, lorsque nous avons une alimentation équilibrée et riche en végétaux aux feuilles vertes comme les épinards. Toutefois, la consommation régulière, ou en cure, de jus d'herbe de blé ou d'orge permet de doper notre ration et de profiter pleinement de ses propriétés détoxifiantes, et vitalisantes.

## Un cocktail de chlorophylle à servir… très frais

Le jus d'herbe de blé se sert volontiers aujourd'hui dans les bars à jus branchés ou en dégustation, sur les marchés ou les foires bio. Mais vous pouvez aussi facilement le préparer à la maison. L'important restant de le consommer fraîchement préparé pour bénéficier de tous ses nutriments.

Avouons-le dès maintenant, le goût du jus d'herbe de blé n'est pas des plus agréables. Qualifié d'amer ou d'écœurant par les premiers goûteurs, on s'y fait toutefois assez vite et il reste la solution, pour les plus récalcitrants, de l'allonger d'un peu d'eau ou de jus de légumes. Le jus d'orge présente un goût similaire. Sachez également que l'équivalent d'un petit verre à liqueur par prise suffit. N'oublions pas sa concentration et ses propriétés dépuratives qu'il ne faut pas sous-estimer.

Le jus d'herbe est un peu l'emblème de l'alimentation vivante, ce mouvement diététique qui prône la consommation crue des aliments. Le vert de la chlorophylle renvoie au soleil, à la vie… et fait de cette boisson un peu mythique un symbole de pleine santé.

Au rayon des compléments alimentaires, vous trouverez aujourd'hui du jus d'herbe d'orge sous forme de poudre libre ou en comprimés. Une façon pratique (mais aussi plus onéreuse) de profiter des bienfaits de ce « jus du soleil ».

*Ci-contre et ci-dessus : dégustation de jus d'herbe et de jus d'orge, le dimanche matin au marché bio du boulevard Raspail à Paris.*

*Extracteur de jus*

## Une matière première de bonne qualité

Si vous vous lancez dans la production de jus d'herbe, n'hésitez pas à vous procurer de grandes quantités de grains de blé ou d'orge. Privilégiez les grains issus de culture biologique. On trouve en magasin bio des conditionnements de « blé à germer » de 500 g à 5 kg, tout à fait économiques.

## L'extracteur de jus, un outil indispensable

Pour préparer le jus d'herbe à la maison, il faudra posséder un extracteur de jus. Contrairement au blendeur ou à la centrifugeuse, l'extracteur de jus est doté d'une grosse vis qui va broyer et malaxer les aliments, sans les chauffer, pour en retirer le liquide qu'ils contiennent ou pour les transformer en purée. Cet appareil, cher à l'achat, permet toutefois de confectionner toutes sortes de jus de fruits et de légumes, de fabriquer à la maison des purées d'oléagineux, des pâtes à tartiner, il sera également un auxiliaire précieux si vous vous lancez dans la confection de pâtes fraîches maison.

L'extracteur de jus a la bonne réputation de respecter au mieux les cellules vivantes des aliments, ce qui en fait l'outil indispensable pour la fabrication de ce précieux nectar qu'est le jus d'herbe.

Plusieurs marques proposent des extracteurs de jus électriques (Oscar, Champion…). Il existe également des extracteurs manuels, en plastique ou en inox, à fixer sur une table. Reportez-vous page 109 pour plus d'information sur les fournisseurs.

Un autre appareil ménager (à ne pas confondre !) utilisé pour la préparation des gelées de fruits est également nommé « extracteur de jus ».

## La conservation du jus d'herbe

La meilleure façon de conserver le jus d'herbe fraîchement recueilli est de le congeler aussitôt, en utilisant un bac à glaçons, ce qui vous permettra de consommer facilement votre « dose journalière ». Vous pourrez également plonger vos glaçons dans les smoothies ou gaspacho maison.

# Smoothie force verte au jus d'herbe

150 g de jeunes pousses (une ou plusieurs variétés)
½ poire juteuse
1 banane
15 g de racine de gingembre fraîche

• Passez tous les ingrédients au blender ou à l'extracteur de jus. Allongez d'eau pour obtenir la consistance souhaitée.

• Ce smoothie force verte est très largement inspiré d'une recette de Kecily et Kristof Berg, marathoniens et passionnés de cuisine végétale. Ils proposent dans leur livre *Secrets d'endurance, barre, boisson et recettes maison*, des smoothies concentrés en « superaliments » (graines germées, gingembre…). Ces élixirs santé permettent de retrouver la forme après une épreuve sportive tout en favorisant l'hydratation. Ils peuvent aussi faire office d'en-cas ou de petits déjeuners vitaminés.

• Les jeunes pousses sont des ingrédients de choix pour les smoothies. De plus, si vous congelez vos jeunes pousses, vous trouverez là une bonne solution pour les consommer. N'hésitez pas à varier vos préparations : purées d'oléagineux, laits et yaourts végétaux… s'assortiront à merveille aux jeunes pousses, aux fruits et aux légumes de saison.

# Glossaire

**Brassicacées**
Famille de légumes du genre Brassica, également appelée « crucifères », à laquelle appartiennent entre autres le brocoli, le chou cabus, le chou frisé, le cresson, la moutarde et le radis.

**Cotylédon**
Feuille embryonnaire d'une graine, en forme de haricot. Les plantes dicotylédones produisent des graines comportant deux cotylédons. Les vraies feuilles, quant à elles, poussent à partir de la tige de la plante.

**Crucifères**
Voir « Brassicacées ».

**Diindolylméthane**
Phytonutriment présent dans les brassicacées comme le brocoli, le chou de Bruxelles, le chou cabus, le chou-fleur et le chou frisé.

**Flavonoïdes**
L'un des grands groupes de pigments hydrosolubles, qui comprend les anthocyanes, bénéfiques pour la santé.

**Glucosinolates**
Substances largement présentes dans les plantes du genre Brassica (brocoli, chou, chou frisé, moutarde, radis) et qui donnent à certaines leur amertume.

**Jeune pousse**
Plante issue d'une graine, à mi-chemin entre les graines germées et les jeunes feuilles qu'on trouve dans les salades de type mesclun. Les jeunes pousses sont consommées après avoir produit au moins deux « vraies » feuilles. Certaines sont aussi mangées au stade du cotylédon.

**Lignanes**
Substances végétales dont l'action est semblable à celle des œstrogènes.

**Oméga-3**
Les acides gras oméga-3 sont une variété de graisses insaturées présente dans le poisson et les végétaux.

### Pathogène
Se dit d'un agent infectieux, de type bactérie ou virus, à l'origine de maladies ou de pathologies chez son hôte.

### Phytœstrogènes (ou isoflavones)
Groupe de composés végétaux qui ont la même action que les œstrogènes.
On les trouve principalement dans les légumineuses, les germes de soja, le son, les graines de lin, la luzerne et le trèfle.

### Phytonutriments
Composés chimiques naturellement présents dans les plantes, comme le bêtacarotène.

### Sulforaphane
Isothiocyanate que l'on trouve dans les brassicacées telles que le brocoli, le chou, le chou frisé, le cresson, la moutarde et le radis.

# Index

# Ressources

**Pour aller plus loin...**

**Quelques sites**

• L'institut Hippocrates, d'Anne Wigmore, qui travaille sur les bienfaits des jus d'herbes : www.hippocratesinst.org/

• Les sites pour trouver des germoirs, des extracteurs de jus :
www.davidson-distribution.com/
www.moulins-alma.fr
www.melijo.be

• Pour trouver un grand choix de graines à germer : www.debardo.fr

**Quelques livres**

• *Graines germées* – Valérie Cupillard – Éditions La plage
• *Vitalité et graines germées* – Ludmila de Bardo – Éditions Vert Océan
• *Graines germées, livre de culture* – Marcel Monnier – Éditions Vivez Soleil

*Ci-contre : une vieille passoire en émail est idéale pour cultiver des jeunes pousses – ici, du blé tendre –, car elle permet le drainage. Placez-la sur une assiette.*

# Chez le même éditeur

**Extrait du catalogue – www.laplage.fr**

## Sécher les fruits et les légumes avec le soleil

### Claudia Lorenz-Ladener

Tomates et champignons séchés, pâtes de fruits parfumées, chips ou légumes en poudre… la plupart des fruits, fleurs ou légumes peuvent être conservés grâce à la déshydratation, une méthode naturelle ancestrale et écologique. Dans ce livre, plans détaillés, instructions et conseils pour construire et utiliser facilement votre propre sécheur-déshydrateur solaire.

Imprimé sur papier FSC
96 pages • 17 x 24 cm • 15 €
ISBN 978-2-84221-250-6

## Cuiseurs solaires, autoconstruction et recettes

### Rolf Behringer et Michael Götz

*Collection « Éco-logis », dirigée par Yvan Saint-Jours (La Maison écologique)*

Après une présentation des différents types de cuiseurs disponibles aujourd'hui en Europe, vous êtes invité à construire vous-même votre cuiseur solaire en bois. Explications détaillées, schémas et photos, matériaux très simples à trouver, recettes savoureuses…
Quelle satisfaction de n'utiliser que l'énergie solaire pour cuisiner, stériliser des conserves ou cuire son pain !

Imprimé sur papier FSC
96 pages • 16,5 x 24 cm • 15 €
ISBN 978-2-84221-201-8

## Protéines vertes
### Tofu, lentilles pois chiches, azukis

**Cécile et Christophe Berg** – Photographies de Jean-Michel Renaudin

On semble avoir tout oublié des haricots, pois, lentilles… tant mieux ! Il est temps de porter un regard nouveau : *Caviar de lentilles, Crackers aux haricots noirs, Steak de haricots rouges*… Des recettes savoureuses et inspirées, réalisées avec des légumes secs en conserves, surgelés, en farine… pour adopter facilement une alimentation riche en protéines 100 % végétales.

Imprimé sur papier FSC
108 pages • 16 x 22 cm • 12,90 €
ISBN 978-2-84221-248-3

## Secrets d'endurance
### Barres, boissons et recettes maison

**Kecily et Kristof Berg** – Photographies de Éric Fénot – Stylisme par Delphine Brunet

Barres sportives, balles énergétiques, biscuits de récupération, boisson de l'effort, gels énergétiques… : comment les fabriquer à la maison en utilisant des « superaliments » sains et bio ?
Une trentaine de recettes testées et élaborées par un couple de marathoniens fondus de cuisine végétale !

Imprimé sur papier FSC
72 pages • 16 x 22 cm • 9,90 €
ISBN 978-2-84221-227-8

## Laits et yaourts végétaux faits maison

**Anne Brunner** – Photographies de Myriam Gauthier-Moreau

Pas à pas, des explications détaillées et photographiées pour réussir à la maison ses propres laits végétaux (à base de riz thaï, de poudre de noisette...), des purées d'oléagineux économique (tahin, purée d'amande...), des yaourts au soja, des crèmes liquides, épaisses, Chantilly... à base de noix de cajou, de soja, d'arrowroot, des glaces gourmandes à base de lait de riz...

Imprimé sur papier FSC
108 pages • 16 x 22 cm • 12,90 €
ISBN 978-2-84221-184-4

## Algues
Saveurs marines à cuisiner

**Anne Brunner** – Photographies de Myriam Gauthier-Moreau

Régalez-vous de saveurs iodées et marines !
Un beau-livre illustré pour apprendre à utiliser les algues crues ou cuites, fraîches ou séchées, pour apprécier les saveurs de chacune, comme autant de sources d'inspiration d'une cuisine gourmande et vitaminée : *wakamé mariné au citron vert, pommes de terre farcies aux haricots de mer, papillotes aux izikis...*

Imprimé sur papier FSC
100 pages • 22 x 25,5 cm • 19,90 €
ISBN 978-2-84221-211-7

## Graines germées

**Valérie Cupillard** – Photographies de Philippe Barret et Myriam Gauthier Moreau

Et si votre cuisine devenait un jardin ?
Découvrez le plaisir de transformer le blé, les lentilles, la moutarde ou l'alfalfa en graines germées ou en jeunes pousses. Une approche résolument moderne de la germination et de son utilisation en cuisine. Des recettes toniques qui privilégient le cru, les saveurs, le croquant et les jolies compositions.

Imprimé sur papier FSC
120 pages • 22 x 25,5 cm • 18 €
ISBN 978-2-84221-110-3

## Le bon cru
Détox, vitalité et gourmandise

**Helen Poolman** – Photographies de Anne de Leeuws

*Smoothies verts, Crackers aux graines de lin, Salades de jeunes pousses...* des recettes originales, pour composer des menus crus et nourrissants. Toutes les techniques du cru (presser, déshydrater, faire germer...) pour oublier les temps de cuisson et découvrir une cuisine vivante et pleine d'énergie où les nutriments et les saveurs restent intacts.

Imprimé sur papier FSC
120 pages • 22 x 25,5 cm • 19,90 €
ISBN 978-2-84221-224-7

## Le jeûne

### Gisbert Bölling

Et si l'on s'arrêtait de manger ? Pendant un jour, une semaine, un mois… Que se passe-t-il lorsque le corps se met en état d'autorestauration ? Perte de poids, nettoyage, régénération des cellules, renouveau spirituel, détachement… Quel est le sens du jeûne aujourd'hui, quels en sont les bienfaits ?… Gisbert Bölling anime des stages de jeûne et randonnée.

Imprimé sur papier recyclé
128 pages • 14 x 21 cm • 12 €
ISBN 978-2-84221-121-9

## Cuisiner avec les huiles essentielles
et les eaux florales

### Valérie Cupillard – Photographies d'Emmanuel Cupillard

Près de 200 recettes pour apprivoiser les huiles essentielles et les eaux florales en cuisine. Les auteurs présentent 22 huiles essentielles (menthe, bergamote, ylang-ylang…), une douzaine d'eaux florales (fleur d'oranger, camomille…), expliquent leurs bienfaits et leur mode d'utilisation en cuisine.

Imprimé sur papier recyclé
176 pages • 14 x 21 cm • 17,50 €
ISBN 978-2-84221-145-5

## Ma cuisine végétarienne pour tous les jours
*11e édition*

### Garance Leureux

500 recettes simples et rapides : pâtés végétaux, tartes, sauces… Mais aussi des chapitres thématiques (céréales, graines germées, tofu, enfants…). 60 pages sur l'équilibre nutritionnel, 32 pages de photos couleur qui illustrent les « tours de main » spécifiques.

416 pages • 16 x 22 cm • 19,50 €
Reliure souple
ISBN 978-2-84221-161-5

## Desserts et pains sans gluten

### Valérie Cupillard – Photographies de Philippe Barret et Myriam Gauthier-Moreau

Pains, gros gâteaux, petits biscuits… Cuisiner la farine de riz, les flocons de châtaigne, la poudre d'amande… des ingrédients bio naturellement sans gluten. De magnifiques photographies pour se régaler aussi avec les yeux.

136 pages • 22 x 28 cm • 25 €
Relié cartonné
ISBN 978-2-84221-133-2

Achevé d'imprimer en février 2011.